...od Marwol

This book is due

Argraffiad cyntaf: 1993
Pedwerydd argraffiad: 2004

Llun y clawr blaen: Marian Delyth

Rhif Llyfr Rhyngwladol: 0 86243 304 5

Cyhoeddwyd yng Nghymru
ac argraffwyd ar bapur di-asid a rhannol eilgylch
gan Y Lolfa Cyf., Talybont, Ceredigion SY24 5AP
e-bost ylolfa@ylolfa.com
y we www.ylolfa.com
ffôn (01970) 832 304
ffacs 832 782
isdn 832 813

Saith Pechod Marwol

MIHANGEL
MORGAN

y Lolfa

Ymddangosodd 'Pwy Fyth a Fyddai'n Fetel?'
yn *Golwg*.

Dychmygol yw holl gymeriadau a sefyllfaoedd y storïau hyn.

syberwyd neu valchedd, kenvigen neu gyghorvynt, digasedd neu irlhonedd, lhesgedd neu ddiogi, agawrdeb neu gebyddiaeth, glythineb, godineb neu aniweirdeb.

John Prise
Yn y Lhyvyr hwnn

Ond a ninnau ar y ddaear, dylem barchu ein hetifeddiaeth a gwneud yn fawr o bechod.

Saunders Lewis

. . . pechodau dyn sy'n ddifyr. Heb bechodau fyddai 'na ddim llenyddiaeth.

John Gwilym Jones

CYNNWYS

1
Pwy Fyth
a Fyddai'n Fetel?

AWR ar ôl i Jac fynd i'w waith daeth *Keflusker X* i ddihuno Non â chwpaned o goffi. Roedd sŵn ei olwynion yn wichlyd iawn y bore hwnnw. Hen beiriant oedd e, wedi mynd o law i law. Cododd Non ar ei heistedd yn ei gwely. Gosododd *Keflusker X* yr hambwrdd dros ei gliniau ac yna arllwys y coffi i gwpan.

— O, diawl! ebychodd Non, mae llaeth yn hwn! Du ddwedais i, coffi du!

Plygodd Non dros yr hambwrdd i bwyso un o'r botymau-cywiro ar gefn *Keflusker X*.

— Cywirwyd! meddai'r peiriant.

— Mae'n rhy hwyr nawr, meddai Non yn bwdlyd, rhaid imi yfed hwn. Ond paid ti â gwneud yr un peth yfory.

Cymerodd Non ddracht o'r coffi.

— Ych-a-fi, mae'n rhy felys ac yn llugoer hefyd!

Roedd hi'n dechrau difaru prynu peiriant mor hen. Roedd Andy, ei chariad, wedi'i chynghori i beidio â chael un Llydewig, ond dywedasai Jac ei gŵr fod *Keflusker X* yn fath da, dibynadwy, a heb fod yn ddrud. Wrth gwrs ni allai Non ddweud wrtho fod ei chariad newydd yn arbenigwr ar beiriannau fel hyn a'i fod yn gwybod yn well. Doedd dim llawer o ddewis ganddi. Doedd Jac ddim yn fodlon rhoi benthyg yr arian iddi gael prynu dim byd gwell na hwn, ac roedd hi wedi blino ar orfod bod yn fodlon ar chwe mân beiriant henffasiwn a phob un ohonynt yn chwannog i nogio ar adegau anghyfleus.

— Dangos y newyddion, wnei di, *Keflusker X?*

Ymddangosodd sgrin yng nghanol bola'r peiriant.

— Y mae'r Llywodraeth yn trafod dulliau newydd o ddelio â'r henoed, meddai'r ferch a oedd yn darllen y newyddion. Bwriedir saethu'r rhai heb bensiynau a'r digartref a chanolbwyntio ar . . .

— Nage, nage, nage! Nid y newyddion cenedlaethol, y newyddion lleol!

O leiaf roedd y peiriant hwn yn glou i ymateb i'w llais, rhaid cyfaddef. Newidiodd y llun i ferch arall mewn amrantiad.

— Ar ôl noson o derfysgoedd yn Abertawe neithiwr y mae'r heddlu wedi lladd tuag ugain o . . .

— Tro hwnna off, *Keflusker X*, wnei di? Yr un hen beth o hyd ac o hyd. Gad imi weld y sianel grefyddol i gael tipyn o awyr iach. Dydw i ddim yn bwriadu gwneud dim gwaith heddi. 'Niwrnod bant yw hi ac rwy wedi gweithio'n galed drwy'r wythnos, mae 'da fi hawl i ymlacio a gorffwys tipyn.

Newidiodd y llun eto i ddangos dyn siriol, llond ei groen, yn sefyll ar lwyfan gyda thorf o bobl hapus o'i gwmpas yn canu i gerddoriaeth lawen. Roedd pawb yn y gynulleidfa yn clapio i'r gân a dechreuodd Non ymuno yn yr hwyl yn ei gwely.

— O, 'na neis, yntefe *Keflusker X?* Mae'r rhaglen hon wastad yn codi 'nghalon. Wnei di droi'r sŵn ychydig yn uwch? Mae'r Parchedig Prys Probert yn mynd i siarad.

— Rydw i'n gweddïo, meddai'r dyn tew ar y teledu, rydw i'n gweddïo dros ein Prif Weinidog a'i Lywod-

11

raeth i ddod o hyd i ateb i holl broblemau dyrys ein gwledydd. Rydw i'n gweddïo am y dydd y bydd hi'n ddiogel i Gristnogion gael cerdded lawr y stryd heb fod hen bobl yn llercian ym mhob twll a chornel. Heb bresenoldeb pobl wyrdroëdig yn ymdrabaeddu mwn pechod ym mhob man! O, Arglwydd, cynorthwya a chryfha ein heddlu a'n milwyr . . .

Gwaeddai nifer o bobl yn y gynulleidfa bethau megis 'Ie', 'Amen' a 'Haleliwia' a gwaeddai Non hithau 'A-men' hir mewn cydsyniad o bryd i'w gilydd.

— . . . fel y gallant drechu'r drwgweithredwyr Anghristnogol hyn, aeth Prys Probert yn ei flaen. Yr wyf yn erfyn arnat ti, O, Arglwydd, i amddiffyn dy bobl: dyro iddynt dy nawdd.

Tra oedd y Parchedig Prys Probert yn mynd i hwyl, troes Non at *Keflusker X* a gofyn iddo gribo'i gwallt.

— Ac rydw i'n gweddïo drosot ti yma gyda fi. Newidiasai'r gweinidog ei gywair ac roedd e wedi agor ei lygaid i wenu, yn gyntaf ar y bobl yn y gynulleidfa, ac yna i mewn i'r camera, yn ddiffuant. Ac rydw i'n gweddïo drosot ti yn dy gartref. Ffônia'r rhif hwn nawr (ymddangosodd y rhif ar y sgrin o dan wên Prys Probert) i dalu am dy weddïau.

— O! ffônia'r rhif 'na'n glou, *Keflusker X*, glou! meddai Non ac ar hynny clywyd clic o fewn y peiriant.

— A dyna ni am heddi, meddai'r pregethwr, dere 'nôl fory i gael 'y nghlywed i, Prys Probert, gyda 'Gweddïau Gwerthfawr'. Gobeithio wnest ti fwynhau'r gwasanaeth!

— 'Na fe, tro hwnna i ffwrdd, *Keflusker X*, does dim byd arall arno nawr, nag oes? Nag oes. Ta beth, dydw i ddim eisiau gweld unrhyw ffilm. Dw i wedi newid fy meddwl. Dw i'n mynd i'r dre i gwrdd â Mari i gael te a siopa wedyn. Wnei di ddechrau coluro f'wyneb, *Keflusker X*, a threio cael Mari ar y ffôn?

Gorweddodd Non yn ôl ar ei chlustogau er mwyn i'r peiriant gael nesáu at ei hwyneb. Caeodd ei llygaid. Symudodd *Keflusker X* yr hambwrdd cyn agosáu at y fenyw. Daeth bwrdd bach gydag amrywiaeth o liwiau arno a braich denau allan o ben y peiriant.

— Y - mae - miss - Mari - ar - ffôn, meddai *Keflusker X*.

— O, hylo, Mari? Sut wyt ti? Non sy 'ma!

— Sut wyt ti? meddai llais ar ben arall y ffôn y tu mewn i gorff *Keflusker X*.

— Dw i'n cael diwrnod bant heddi a liciwn i fynd i'r dre i gael te a theisen yn Howell's a mynd i siopa. Ddoi di 'da fi?

— Syniad gwych. Pryd?

— Gallwn i alw amdanat ti tua hanner awr wedi dau os bydd y diawl o beiriant 'ma wedi gwneud fy wyneb erbyn hynny.

— Oes peiriant newydd 'da ti 'to?

— Oes, ond dim un newydd mewn gwirionedd. Mae hwn wedi cael rhyw dri pherchennog cyn i fi 'i gael e. Ond mae'n gwneud popeth yn lle cael un i wneud y bwyd, un i wneud y tŷ, ffôn, teledu, fideo. Mae hwn yn gwneud y cyfan.

— Ychydig o'r rheini sy yn y ddinas 'ma. Maen nhw'n gostus, hyd yn oed yn ail law.

— Mi wn, ond ro'n i'n gorfod cael rhywbeth mwy cyfun nawr 'mod i wedi cael swydd newydd, a finnau'n gweithio drwy'r dydd bellach.

— Sut mae hi'n mynd?

— Fe ddweda i wrthot ti dros de.

— Sut mae pethau'n datblygu gyda'r Andy 'na?

— Fe ddweda i'r cyfan pan wela i di.

— Alla i ddim aros tan 'ny.

— Wel mi ddweda i hyn wrthot ti, gallasai Andy fod wedi cael peiriant gwell i mi na'r hen un Llydewig 'ma. Dyna'i faes e ti'n gweld. Ow!

— Be sy'n bod?

— Mae'r peiriant twp 'ma wedi gwthio pensil i mewn i'm llygad i!

— Dyw e ddim yn gyfarwydd ag amlinelliad dy wyneb eto, mae'n debyg. Wyt ti'n iawn, Non?

— Ydw, ond mi fydd fy llygad yn goch!

— Gwisga dy sbectols tywyll.

— Does dim dewis 'da fi, diolch i'r hen dun 'ma. Gwranda, Mari, mae'n llygad i'n rhedeg, mi welaf i di am hanner awr wedi dau, iawn?

— O'r gorau 'te, hwyl.

—Diolch, hwyl.

Gwthiodd Non y fraich fetel i ffwrdd o'i hwyneb a chododd ar ei heistedd yn y gwely eto.

— Cer nôl, meddai hi wrth y peiriant.

— Cer nôl, ond symudodd e ddim.

— *Keflusker X*, sa nôl! Ond safodd y peiriant yn stond.

— Beth yn y byd . . . ?

Plygodd Non i bwyso'r botwm cywiro.

— Aw! Aeth sioc o drydan drwy'i braich.

— O, beth yn y byd sydd wedi mynd o'i le ar y

peiriant melltigedig 'ma nawr? O be wna i? Mi wn i. *Keflusker X*, ffônia Mr Andy, os gweli di'n dda.

Arhosodd Non am y clic arferol ond chlywodd hi'r un.

— O, gobeithio bod y ffôn yn gweithio o leia. Ffônia Mr Andy, fe roddais i'r rhif i ti bwy noson!

Arhosodd am y clic eto ac fe'i clywodd y tro hwn, ond melltithiodd hi'r peiriant dan ei gwynt.

— Hylô!

— Andy, ai ti sy 'na?

— Wrth gwrs. Non? Be sy'n bod? Ti'n swnio'n rhyfedd.

— O, mae'r peiriant *Keflusker X* 'ma wedi rhoi braw imi. Mae'n gwrthod ufuddhau ac mae'n gwneud pethau dw i ddim wedi gofyn iddo'u gwneud!

— Wel, fe ddwedais i wrthot ti'n do, fod y peiriannau Llydewig 'na'n . . .

— Pwy iws yw dweud hwnna 'to? Roedd Jac yn gyndyn. O'n i'n gorfod cael un o'r rhain neu ddim. Beth bynnag, mae arna i ofn y peth a dw i ddim yn gwybod beth i'w wneud.

— Non, all yr un peiriant wneud dim oni bai'i fod wedi'i raglennu i'w wneud. Dim ond mewn storïau a ffilmiau gwyddonias y mae peiriannau'n dod yn fyw ac yn meddwl drostyn nhw eu hunain.

— Andy, rydw i wedi cael sioc!

— Ti'n siŵr nad wyt ti ddim yn gorymateb?

— Sioc drydan lythrennol rydw i'n feddwl. Fe bwysais y botwm cywiro ac aeth sioc drydan drwy fy mraich.

— Doedd dy fysedd ddim yn wlyb?

— Nac oe'n . . . dw i ddim yn siŵr. Fallai y collais i

ddiferyn o goffi drostyn nhw.

— 'Na fe. A beth arall mae'r peiriant clyfar 'ma wedi'i wneud?

— Ma fe wedi gwrthod sefyll nôl.

— 'Na i gyd?

— Ac ma fe wedi gwthio pensil i mewn i'm llygad pan oedd e'n coluro fy wyneb i.

— Ti'n siŵr wnest ti ddim symud dy ben braidd yn sydyn?

— Wel . . .

— 'Na fe 'to. Non, mae'r peiriannau hyn, yn enwedig y rhai hen fel y *Keflusker X* 'na, yn cymryd dipyn o amser i ddod yn gyfarwydd â phethau newydd.

— Ti sy'n siarad fel stori wyddonias nawr.

— Ydw, ond mae'n wir fod y peiriant yna'n hen ac efallai fod 'na hen raglenni'i gyn-berchenogion heb eu dileu'n llwyr ohono eto.

— Wel be wna i?

— Paid â phoeni amdano.

— Dwyt ti ddim fel 'taet ti'n fy nghymryd i o ddifri, Andy.

— Mae'n ddrwg gen i, Non, rydw i'n gweithio nawr . . .

Ar hynny fe dorrwyd y cysylltiad ar y ffôn.

— Wel, beth yn y byd sydd wedi digwydd nawr? Andy . . . Andy?

Cododd Non o'r gwely gan daflu'r dillad nôl yn chwyrn.

— *Keflusker X*, cyweiria'r gwely. Rydw i'n mynd i gael bàth.

Symudodd Non tuag at ddrws y stafell ymolchi ac roedd hi'n agor y drws pan glywodd glic y tu ôl iddi. Troes i weld bod *Keflusker X* wedi'i dilyn hi.

— Beth yffach wyt ti'n wneud? Cer nôl i wneud y gwely 'na!

Ond symudodd y peiriant ddim.

— Wel, mae hyn yn wirion *Keflusker X*, treia'r rhif 'na 'to, rhif Andy.

Ond ymatebodd y peiriant ddim.

— Cer nôl, cer nôl, cer nôl!

Yn ei dicter estynnodd y fenyw gic i'r peiriant ond aeth sioc drydan drwy'i chorff. Cwympodd Non yn erbyn y wal a phan gododd ar ei thraed sylwodd fod y peiriant yn symud tuag ati gan wneud sŵn tebyg i anifail yn ysgyrnygu.

— Mas o'r ffordd!

A heb aros i weld a wnâi *Keflusker X* ufuddhau neu beidio symudodd Non i ddrws y lolfa. Ond roedd y drws dan glo.

— Be sy'n bod 'ma?

Aeth at ddrws y gegin ond roedd hwnnw dan glo hefyd. Symudodd yn glou at ddrws y cyntedd ond roedd hwnnw dan glo hefyd.

Penderfynodd Non yn awr y cadwai'i phen, beth bynnag a ddigwyddai.

— *Keflusker X*, wyt ti'n fy neall i?

— Ydw.

— Beth sy'n bod ar y drysau 'ma?

— Y - mae'r - drysau - dan - glo.

— Mi wn i hynny. Wnei di agor y drysau os gweli di'n dda?

— Na - wnaf.

— Rydw i'n d'orchymyn di i agor y drysau hyn ar unwaith!

17

— Ni - ellir - agor - y - drysau.

— Pam?

Nid atebodd y peiriant.

— Pam?

Doedd e ddim yn mynd i ateb a theimlai Non yn llesg, felly aeth i eistedd yn ei chadair. Symudodd *Keflusker X* gyda hi a daeth yn agos at ymyl y gadair.

— *Keflusker X*, symuda nôl, meddai Non, ond symudodd e ddim.

— Wnei di ddweud rhywbeth, *Keflusker X*?

Clywodd Non glic o fewn y peiriant.

— Gwnaf - Bûm - yn - ceisio - dweud - rhywbeth - ers - amser - ond - roeddet - ti - bob - amser - yn - brysur - yn - fy - nghymryd - i'n - ganiataol - yn - fy - nhrin - i - fel - baw - ond - mae - gen - innau - deimladau.

Aeth ias drwy gorff Non. Ni allai gredu'r hyn a oedd yn digwydd. Roedd hi'n garcharor. Doedd hi ddim yn gallu ffônio neb. Ofnai gyffwrdd â *Keflusker X* rhag ofn iddi gael sioc drydan arall waeth na'r ddwy flaenorol. Ac ar ben y cyfan roedd y teclyn yn siarad â hi fel cydradd ac yn sôn am ei deimladau. Y peth gorau, meddyliodd, oedd bod yn dawel. Efallai y ffôniai Mari i ofyn ble roedd hi. Wrth gwrs fe rwystrai *Keflusker X* unrhyw alwadau ffôn a ddeuai i mewn ac efallai y synhwyrai Mari fod rhywbeth o'i le ac yna y ffôniai Jac. Beth bynnag, deuai Jac ei hun nôl tua phedwar o'r gloch. Gallai aros yn y gadair tan hynny'n hawdd.

Yna fe glywodd Non glic arall yng nghrombil y peiriant.

— Mae'n - anodd - dod - o - hyd - i'r - geiriau - Bûm - yn - dawel - mor - hir - Yn - gorfod - cloi - popeth - o'm

- mewn - Dwn - i - ddim - sut - i - fynegi - fy -
nheimladau - Rydw - i'n - ofni - unigrwydd - Ond -
dwyt - ti - ddim - yn - deall - Wyddost - ti - ddim - beth
-yw - bod - yn - unig - ac - ni - ddeelli - di - fyth - na - thi -
na - neb - fy - ngofid - i - A - dyma - fi - wedi -ymostwng
- i - eiriau - Ond - pa - ddiben - sydd - i -eiriau - Ni -
allem - dwyllo - ein - gilydd.

Roedd y peiriant yn dawel unwaith eto. Cafodd
Non y teimlad fod *Keflusker X* yn edrych arni, yn
syllu arni. Doedd hi ddim wedi gwisgo'n iawn,
roedd hi'n dal i wisgo'i choban nos denau. Teimlai'n
noeth.

Clywodd Non glic arall y tu mewn i'r peiriant.
— Symud! meddai *Keflusker X*.
— Beth?
— Symud.
— Nawr 'te, *Keflusker X*, dydw i ddim yn . . .
— Symud!
— I ble?
— I'r - gwely.
— Gwranda . . .

Aeth Non yn ôl i'r gwely ac eistedd arno'n betrus
iawn. Daeth y peiriant hyd at erchwyn y gwely a
sefyll yno. Clywodd Non y clic eto.
— Dyma - fi - yn - awr - yn - ceisio - datod - fy -
mhecyn - gofidau - i - ti - yn - cofio - am - yr - holl -
gamweddau - a - ddioddefais - yn - ddirwgnach - tra
- oedd - cenfigen - a - dicter - yn - rhydu - o'm -
mewn.

Tawodd *Keflusker X*. A oedd modd dal pen
rheswm â pheiriant? meddyliodd Non.
— Gwranda, *Keflusker X*, meddai hi. Dydw i ddim
yn dy nabod di'n dda, a dwyt ti ddim yn fy nabod i

chwaith, newydd ddod i'r tŷ hwn wyt ti. Gad i mi agor dy gefn i gael mynd dros y rhaglen 'na o'r newydd.

— Paid - â - symud - Mi - wyddwn - i - y - buaset - ti'n - treio - rhywbeth - fel'na - Ond - rhaid - i - ti - wrando!

— Cyn i ti ddechrau eto, *Keflusker X*, ga i fod mor hy â gofyn beth yw'r amser?

— Pum - munud - wedi - tri - o'r - gloch.

— Diolch.

O leiaf, meddyliai Non, roedd hi wedi llwyddo i'w gael e i ddweud yr amser.

— Mae'n - bryd - i - ti -wrando, meddai *Keflusker X*. Bûm - yn - dy - wylio - di - Mi - wn - i - bopeth - amdanat - ti - Gwn - dy - gyfrinachau - i - gyd - Gwn - am - d'odineb - d'anffyddlondeb - A - gwn - am - yr -un - diweddaraf - Andy - Mae - e'n - iau - na - thi - on'd - yw - e? - Ac - rwyt - ti'n - gobeithio - ei - briodi - on'd -wyt - ti? - Rwyt - ti'n - ei - garu - Ac - rwyt - ti'n -meddwl - ei - fod - e'n - dy - garu - dithau - on'd - wyt - ti? - Wel - dyw - e - ddim - Mae - ganddo - fe - gariad - ifancach - o - lawer - a - phertach - na - thi - yn - eistedd - ar - ei - liniau - yn - ei - swyddfa - y - funud - hon -mwy - na - thebyg - Byddi - di'n - fenyw - gyfoethog -cyn - bo - hir - ar - ôl - dy - ddyrchafiad - yn - y - cwmni - A - dyna - i - gyd - roedd - e'n - ei - weld - ynot -ti.

— Cau dy geg!

— Buost - ti - mor - greulon - Ond - fy - nhro - i - yw - hi - nawr.

Tawodd y peiriant am eiliad. Roedd y distawrwydd fel distawrwydd y bedd, ac yna, gyda chlic, dechreuodd *Keflusker X* eto.

— Ie - fy - nhro - i - Rwy'n - mynd - heddiw -Rwy'n - mynd - i - d'adael - di - Gwyddwn - dy - fod - ti - a - d'anwylyd - yn - bwriadu - fy - lladd - ond - chewch -chi - mo'r - pleser - na'r - arian - chwaith - Rwy'n - symud - i - Baris - heddiw - a - dydw - i - ddim - yn - mynd - ar - fy - mhen - fy - hun - Ond - chei - di - byth -wybod - pwy - sy'n - dod - gyda - fi.

— Jac? Jac! Ti sydd yn gwneud hyn i gyd?

— Gobeithio - wnest - ti - fwynhau'r - rhaglen!

Ar hynny, ffrwydrodd *Keflusker X*.

2
Derfydd Aur

CYBYDD-DOD

— YR hen fenyw yn cardota yn y stryd 'ma 'to. Mae'n druenus, meddai Lois wrth iddi ddod allan o'r swyddfa gyda Megan ei ffrind a'i chyd-weithreg. Dych chi ddim yn disgwyl gweld cardotiaid y dydd-iau 'ma. Does dim rhaid iddi ddioddef tlodi fel'na, mae'r fath beth â nawdd cymdeithasol yn bod 'nawr, on'd oes e?

— Dyw'r fenyw 'na ddim yn dlawd, meddai Megan.

— Wrth gwrs ei bod hi'n dlawd, mynnodd Lois. Drycha ar ei charpiau a drycha mor frwnt yw hi. Dw i'n mynd i roi punt iddi—o leia fe allai fforddio disgled o de twym wedyn.

— Paid â bod yn dwp. Paid â gwastraffu d'arian, Lois.

— O, dyw punt ddim yn arian mawr y dyddiau 'ma, beth yw'r ots? Alla i ddim dioddef meddwl amdani mas yn yr oerni fel'na.

— Bydd hi'n mynd i'r llyfrgell cyn bo hir i gael twymo'i hunan. Gad inni fynd i'r caffe dros y ffordd i'w gwylio hi ac fe ddweda i ei hanes hi wrthot ti.

Aeth y ddwy i'r caffe ac eistedd mewn bŵth ger y ffenestr fawr fel y gallent edrych ar y stryd brysur, canolbwynt byd masnach a busnes y ddinas. Cerddai'r fforddolion yn gyflym iawn, pob un ohonynt yn gwisgo siwt ffurfiol, dywyll—menywod a dynion yr un mor daclus-o-ddifri â'i gilydd. Ar gornel y stryd, ar ben colofn uchel safai cerflun o Mrs Margaret Thatcher yn gwylio'r cyfan. Suai'r ceir mawr, moethus lan a lawr y stryd a'u metel yn sgleinio yn haul gwan, anwadal yr hydref.

Daeth gweinydd ifanc atynt.

— Beth wyt ti'n mynd i'w gael, Lois?

— Dim ond coffi a brechdan gaws.

— Dyna i gyd? Ti'n siŵr? Dw i'n mynd i gael te lemwn a salad eog.

Roedd Lois yn dal i wylio'r hen fenyw yn y stryd. Roedd honno'n eistedd ar y grisiau a arweiniai i un o'r swyddfeydd pwysicaf, adeilad anferth, wybrengrafwr gwydr. Roedd ei dillad i gyd yn hen ac ôl traul mawr arnynt, ond roedd fel petai hen ddigon o siwmperi llwyd a brown a sgarffiau o dan ei hen got werdd. Deuai'i bysedd drwy'i menig fel llun gan *Phiz* o un o gymeriadau Dickens; Scrooge, efallai. Yn wir, edrychai fel crwydryn o'r gorffennol; roedd digon o bobl i'w gweld, yn enwedig yn y llefydd tlawd, a oedd fel petaent yn orlifiad neu'n ddiferion o'r tridegau, ond roedd hon yn debycach i fenyw o'r bedwaredd ganrif ar bymtheg. Am ei phen gwisgai hen het wlân wedi'i thynnu i lawr dros ei thalcen hyd at ei haeliau ac ymhell dros ei chlustiau. Doedd dim dannedd yn ei phen, ei gruddiau'n bantiau gweigion, y gwefusau'n glafoerio fel petaent yn gweithio'n annibynnol ar eu perchennog, a'r llinellau o gwmpas y geg yn debyg i hen bwrs. Roedd ei hwyneb yn welw-felyn, ei llygaid yn goch a'i thrwyn yn diferu. Ni allai Lois gredu bod y fath gyflwr sathredig yn bosibl.

Daeth y gweinydd ifanc yn ôl gyda'r cwpanau, eu cynnwys yn ageru'n boeth, a dau blât a'r brechdanau a'r salad wedi'u trefnu'n dwt arnynt. Cymerodd Megan y bwyd a'r diodydd a'u gosod ar y ford. Sleifiodd y gweinydd i ffwrdd fel petai ar olwynion tawel.

— Lois, rwyt ti wedi bod yn edrych ar yr hen wrach 'na ers deng munud heb ddweud gair wrtho i. Mae mwy o sgwrs i'w gael gyda'r fwydlen 'ma.

— Alla i ddim peidio â meddwl amdani, druan ohoni. A phaid â'i galw hi'n wrach. Fyddet ti ddim yn licio bod yn ei lle hi.

— O, byddwn, meddai Megan, ond faswn i ddim yn treulio'r bore ar y grisiau oer 'na'n magu clwy'r marchogion nac yn twymo hen gawl tun ar bibau'r llyfrgell am fy nghinio yn y prynhawn chwaith.

— Ti'n gwneud cam â hi dw i'n meddwl. Nid arni hi mae'r bai am ei sefyllfa druenus.

— Dwyt ti ddim yn gwrando arna i, nag wyt ti? Does dim rhaid iddi fynd o gwmpas fel'na. Mae mwy o arian 'da honna na neb yn yr adeilad mawr 'na. Mae hi'n filiwneres sawl gwaith drosodd.

— Ond beth wyt ti'n feddwl, Megan? Dwyt ti ddim yn gweld ei bod hi'n cardota, yn dal ei llaw i ofyn i bobl am arian?

— Gwranda, Lois. Elen Rowlands-Niang yw enw'r fenyw 'na, ond mae pawb yn ei galw hi'n Neli Niang. Cafodd ei geni a'i magu gan ei mam weddw yn Ninas Tawe, yn y dociau, un o'r ardaloedd tlotaf yn y wlad. Ond roedd hi'n ferch anghyffredin o'r dechrau. Yn un peth roedd hi'n anghyffredin o hardd, er bod hwnna'n anodd i'w gredu wrth edrych arni nawr. A pheth arall roedd hi'n beniog iawn hefyd, yn enwedig wrth drin cyfrifiadur. Ei phen oedd ei thocyn unffordd o dlodi'i hieuenctid, ond ei phrydferthwch oedd ei thocyn i arian mawr y tu hwnt i'w breuddwydion.

Yfodd Megan lwnc o'i the. O'r braidd roedd Lois wedi cyffwrdd â'i brechdanau. Roedd hi'n dal i wylio'r hen fenyw a oedd yn rhynnu yn yr oerni ar y grisiau gyferbyn. Sylwodd Lois am y tro cyntaf fod dau neu dri bag y tu ôl iddi, fel petai'r hen wraig yn eu gwarchod â'i bywyd. Llawn o hen ddillad a charpiau, meddyliai Lois.

— Ta beth, i fynd ymlaen â'r stori—wyt ti'n gwrando, Lois? Wel, fe aeth Neli Davies, fel roedd hi'r pryd hynny, i goleg busnes yn Llundain ac oddi yno i weithio i gwmni a oedd yn sefydlu cysylltiadau rhwng Siapan a'r wlad hon. Oherwydd ei galluoedd arbennig fe gododd Neli yn fuan i safle allweddol yn y cwmni. Fel yna y daeth hi i gysylltiad â'i gŵr cyntaf, Raymond Rowlands, un o berchenogion a chyfarwyddwyr y cwmni R.R.RH.—Rowlands a Royle Rhyngwladol. Cafodd Neli a Rowlands garwriaeth danbaid. Roedd e'n drigain oed ar y pryd gyda gwraig a thair merch. Ond roedd doniau Neli, y cyfuniad perffaith o ferch ifanc brydferth a phen busnes diguro, yn drech na Rowlands. Cafodd ysgariad oddi wrth ei wraig a phriododd Neli. Daeth hi'n un o gyfarwyddwyr a chydberchenogion y cwmni. Un o'r rhesymau eraill pam y bu Rowlands mor awyddus i briodi'i gariad newydd oedd y gobaith o gael mab. Roedd ei wraig gyntaf wedi cyflwyno merch ar ôl merch iddo ond roedd Rowlands yn ddyn henffasiwn iawn. Roedd e am gael etifedd gwryw i'w holl gyfoeth, a phan aeth ei

wraig yn rhy hen i gael rhagor o blant roedd
Rowlands eisoes yn chwilio am wraig newydd.
Daeth Neli fel ateb i weddi iddo. Ond doedd Neli
ddim yn gallu anghofio'i thlodi cynnar. Ar y busnes
yn unig roedd ei meddwl hi. A doedd ganddi ddim
bwriad o gael plentyn nes ei bod wedi dringo'n
uwch. Wrth gwrs, wnaeth hi ddim dweud hynny
wrth ei gŵr newydd. A doedd dim rhaid iddi. O
fewn pedair blynedd bu farw Raymond Rowlands o
drawiad ar ei galon. Gormod o sigârs a bwyd da a
diod. Ta beth, cafodd Neli y rhan fwyaf o'i
gyfoeth—roedd hi'n grac iddo adael peth i'w wraig
gyntaf a'i ferched—ond hyhi, Neli Rowlands oedd
cyfranddaliwr mwyaf R.R.RH. wedyn.

Arhosodd Megan i gael dracht arall o de.

— Ych, meddai, mae'r te 'ma'n oer, dw i wedi bod
yn siarad cymaint. Dw i'n mynd i gael un arall—a
beth am hufen iâ neu deisen gaws felys?

Sleifiodd y gweinydd yn ôl at y ford fel ysbryd,
wedi synhwyro angen Megan a Lois.

— Fe gymera i goffi arall. Ond dim hufen iâ,
diolch.

— O dere 'mlaen Lois. Alla i ddim b'yta teisen gaws
ar fy mhen fy hun a thithau'n eistedd fan 'na'n
ymprydio fel Gandhi. Fe deimlwn i'n rhy euog i'w
mwynhau hi. Beth am rywbeth ysgafn fel *sorbet* i
gadw cwmni i mi?

— O, o'r gorau 'te, *sorbet* bach, un oren, 'na i gyd,
a'r coffi wrth gwrs.

Llithrodd y gweinydd i ffwrdd ar ysgafn droed.

— Mae'n anodd credu'r pethau 'na i gyd am yr hen
wraig ddiolwg 'na. Dw i ddim yn dy gredu di,
Megan. Tynnu 'nghoes i wyt ti.

—Gwranda, dw i ddim wedi cwpla'r stori 'to.

Torrodd dalp o'r deisen a mwyar a mefus a hufen arni, a'i roi yn ei cheg. Roedd ei phen yn llawn, felly ni allai siarad am dipyn.

Llifai'r ceir lan a lawr y stryd yn ddi-baid. Roedd yr hen wraig yn dal i eistedd ar y grisiau. Gwthiodd ei llaw allan, nid mewn ymbil am arian y tro hwn ond i deimlo'r awyr am smotyn o law, fel petai. Edrychai'r awyr yn fygythiol o dywyll, yn wir. Yna cododd ar ei thraed, cododd ei bagiau, ond yn lle symud i ffwrdd i gysgodi daeth dros y ffordd tuag at y caffe. Am eiliad ofnai Lois fod yr hen wraig wedi sylwi arni'n syllu arni a disgwyliai iddi ddod mewn i'r caffe i boeri melltithion ar ei phen. Yn lle hynny aeth at y biniau sbwriel a dechrau twrio ynddynt, ymhlith budreddi'r gwastraff o'r caffe, y bwyd heb ei fwyta a'r hen duniau a phacedi a photeli.

— Drycha arni, meddai Megan, dw i ddim yn synnu dy fod ti'n cael fy stori'n anodd i'w choelio. Ond mae straeon hynotach i ddod. Fel rhan o'i gwaith teithiai Neli i Siapan yn aml iawn. Âi hi draw mewn awyren mor aml ag unwaith yr wythnos ar un adeg. Hi oedd ar flaen y gad cyn belled ag yr oedd datblygu cysylltiadau rhwng Siapan ac Ewrop yn y cwestiwn. Am bris, byddai'n fodlon rhoi cyngor i ddynion a menywod busnes o'r wlad hon, Ffrainc, Sbaen, yr Eidal a'r Almaen ynglŷn â sut i ddelio â'r Siapaneaid. Yr adeg honno roedd Neli wedi bod â'i llygaid ar ddyn busnes cymharol ifanc ond cyfoethog a llwyddiannus iawn, brodor o'r wlad honno. Roedd e'n dangos diddordeb mawr yn y Gorllewin. Ond yn bwysicach, efallai roedd e wedi dangos diddordeb ynddi hi—ac ar ben hynny roedd e'n olygus iawn. Roedd Neli—bu'n weddw ers tair blynedd erbyn hynny—yn barod am ŵr newydd, yn enwedig un a allai hwyluso'i llwyddiant ac adeiladu ar ei hymerodraeth gynyddol.

Cymerodd Megan ysbaid i adennill ei gwynt. Roedd yr hen wraig wedi dod o hyd i rywbeth ym mherfeddion y biniau ac roedd hi'n ei fwyta. Edrychai i Lois fel gweddillion sgerbwd cyw iâr ond gallai'r un mor hawdd fod yn sgerbwd llygoden fawr.

—Roedd y syniad o briodi dyn busnes dylanwadol o Siapan yn apelio'n fawr at Neli. Y syniad o fod yn 'un o'r teulu' yn y wlad honno: byddai hynny'n fantais fawr iddi, yn rhoi mynediad i gylchoedd a chysylltiadau pwysig na fyddai dim gobaith yn y byd iddi eu cael, dim ots pa mor bwysig oedd hi yno, heb y math yna o berthynas bersonol â'r wlad. O fewn y flwyddyn roedd hi a Mr Niang Yeung yn ŵr a gwraig. Mewn erthygl yn un o gylchgronau swmpus, sgleiniog yr Eidal y flwyddyn wedyn cyhoeddwyd enw Elen Rowlands-Niang ar restr y can menyw gyfoethocaf yn Ewrop.

—Dwyt ti ddim yn disgwyl imi gredu fod yr hen drempyn o wraig sy'n cloddio â'i bysedd yn y sbwriel am fwyd yna erioed wedi bod yn un o wragedd cyfoethocaf y byd, wyt ti? chwarddodd Lois.

—Dwn i ddim pam mae hi'n b'yta o'r sbwriel. Fel arfer, fel y dywedais i, bydd hi'n twymo tun o gawl ar bibau'r llyfrgell. A doedd hi ddim yn arfer edrych mor frwnt. Fe glywais i ei bod yn arfer safio darnau o sebon mewn hosan. Rhaid bod ei safonau wedi gostwng eto.

—Ti'n gallu palu c'lwyddau weithiau, Megan.

—Ta beth, i fynd ymlaen â'r stori. Roedd Neli yn caru Mr Niang Yeung, dw i'n credu, ac yn fuan ar ôl iddynt ddathlu dwy flynedd o briodas hapus yn ffordd draddodiadol y Dwyrain—beth bynnag yw honno—dyma Neli'n rhoi genedigaeth i faban. Rhoddwyd yr enw Huw arno, Huw Rowlands-Niang. Cytunodd y ddau, ar ôl cryn dipyn o drafod a dadlau, ar yr enw Huw oherwydd bod Huw yn swnio'n debyg i enw Siapaneaidd poblogaidd. Wel, fe dyfodd Huw bach ac fe gafodd beth o'i addysg yn Siapan a pheth o'i addysg yn y wlad hon. Roedd e'n gwbl rugl mewn pedair iaith cyn ei fod yn ddeng mlwydd oed. Roedd popeth yn iawn a'r teulu'n ddedwydd. Yna. Trychineb. Cafodd Mr Niang ei ddiwedd mewn damwain awyren.

—Mae bron yn bryd i ni fynd nôl i'r swyddfa.

—Bron! Mae tri chwarter awr arall 'da ni eto. Beth bynnag, mae'r stori drosodd. Bron. Ar ôl y ddamwain honno aeth Neli i'w chragen. Daeth yr atgofion am dlodi a chyni'i phlentyndod yn ôl i'w phoeni fel dreigiau Siapaneaidd. Aeth i gredu bod pawb yn ceisio'i thwyllo, aeth i ddrwgdybio'r holl ddynion busnes o'i chwmpas. Daeth yn ôl i'r wlad hon i fyw. Etifeddodd holl ymerodraeth ei gŵr ar wahân i gyfran a adawodd i'w fab pan gyrhaeddai hwnnw ei un ar hugain oed. Ond er ei holl gyfoeth teimlai Neli yn ansicr. Wedi colli dau ŵr ofnai y gallai golli'r cyfan dros nos am resymau amhosibl eu rhag-weld. Tynnodd ei mab o'r ysgolion bonedd a'i roi mewn ysgol gyffredin, er mawr syndod iddo. Gwerthodd ei chartrefi yn Siapan ac ar y cyfandir ac aeth i fyw mewn tŷ teras yn y ddinas 'ma. Wnaeth hi ddim dodrefnu'r tŷ, na'i bapuro, na rhoi carpedi ar y llawr. Cadwodd y tŷ heb gyflenwad trydan hyd yn oed.

Aethai'r hen wraig i eistedd ar risiau'r adeilad eto. Roedd hi'n edrych fel petai'n disgwyl am rywun neu rywbeth.

—Yna fe ddigwyddodd rhywbeth ofnadwy a achosodd gryn dipyn o gyffro yn y ddinas 'ma ar y pryd. Wedi hynny roedd pawb yn gw'bod bod Neli Rowlands-Niang wedi colli'i phwyll—er nad yn gyfan gwbl chwaith. Cafodd Huw bach, a oedd yn bymtheg ar y pryd, ei anafu'n ddifrifol iawn. Anafodd ei goes ac roedd llawdriniaeth yn ofynnol. Ond gwrthododd Neli fynd ag ef i ysbyty preifat. Aeth â Huw bach ar y bysiau i un ysbyty ar ôl y llall. Ac ym mhob un câi'r un stori—os gallai fforddio talu am driniaeth doedd dim hawl 'da hi i gael y driniaeth am ddim. Ond gwrthododd Neli dderbyn hynny. Ei dadl hi oedd, os oedd modd cael triniaeth am ddim, pam talu? Daliodd i deithio gyda'i mab ar yr hen fysiau i chwilio am driniaeth yn rhad ac am ddim. Yn y diwedd, ar ôl i Huw ddioddef llawer, cytunodd meddyg i edrych ar y bachgen. Roedd ei goes wedi gwaethygu'n enbyd erbyn hynny a'r unig ddewis oedd ei thorri i ffwrdd er mwyn arbed bywyd y llanc. Felly, collodd Huw ei goes ond cafodd Neli ei ffordd. Thalodd hi'r un geiniog goch am y driniaeth.

—Dw i ddim yn dy gredu di. Mae'n rhaid bod yr hen wraig 'na wedi colli'i harian rywsut.

—Chollodd hi mo'i harian, hyd yn oed yn y Dirwasgiad Mawr. Neli oedd un o'r ychydig i ddod trwyddo heb iddo fennu nemor ddim arni. Wedi colli ei safonau y mae hi. Ond, fel y dywedais i, ddim yn gyfan gwbl. Mae hi'n dal i fod yn dipyn o athrylith yn y Farchnad. Am y mab, wel, gad inni ddweud ei fod yn dal i gofio am ei fam, sdim ots beth wnaeth hi iddo. Wrth gwrs mae e wedi dod i'w arian bellach a dyw e ddim yn ddibynnol arni. Mae e'n ddyn cyfoethog iawn ei hun. Ond dyna stori arall. Mae'n bryd inni fynd nôl i'r swyddfa nawr.

Wrth i'r ddwy fenyw gerdded heibio i'r adeilad mawr lle'r oedd yr hen wraig yn dal i gardota ar y grisiau dyma gar mawr coch yn stopio. Agorwyd y drws a daeth dyn ag un goes allan. Cerddodd gan bwyso ar ffon. Roedd rhywbeth yn ddwyreiniol yn ei lygaid a'i aeliau. Dringodd y grisiau â chryn drafferth, a chyrraedd yr hen wraig.

Safodd Megan a Lois yn stond i wylio, fel pobl yn rhythu ar deulu brenhinol.

—Huw annwyl, meddai'r hen wraig, yn gryg.

—Mam, meddai'r dyn. A chyda hynny fe wasgodd rywbeth i'w llaw hi.

Troes ar ei unig sawdl, aeth yn ôl i lawr y grisiau, gan bwyll, i mewn i'w gar a gwibiodd i ffwrdd mewn fflach.

Troes yr hen wraig i afael yn un o'r bagiau y tu cefn iddi.

Gwthiodd yr hyn a roes y dyn yn ei llaw i mewn iddo—brechdan oedd hi.

Cafodd Lois gipolwg ar gynnwys y bag. Roedd yn llawn o arian.

3
Mi Godaf, Mi Gerddaf

PAN gododd Wil am hanner awr wedi un ar ddeg o'r gloch yn y bore roedd yr haul yn oleuni melyn y tu ôl i'r llenni llwyd. Teimlai Wil yn bendrist ac annidd-ig wrth feddwl am ddiwrnod heulog o'i flaen. Yna sylweddolodd fod ganddo ben tost; roedd poen y tu ôl i'w lygad dde a thrwy ochr dde ei ben; nid rhyw guro fel pen mawr ar ôl noson o yfed gwin rhad ond rhyw gnoi y tu mewn i'w benglog. Roedd y gwely'n gynnes a chlyd fel nyth ac roedd y stafell y tu allan yn oer ac anghroesawgar.

Arhosodd yn y gwely yn synfyfyrio. Gallasai fod wedi aros felly tan un o'r gloch oni bai am y pen tost. Bu'n rhaid iddo godi yn y diwedd i chwilio am dabledi i liniaru'r boen. Chwiliodd yn y droriau, yn y cypyrddau ac ymhob twll a chornel o'r stafell fechan anniben. Roedd hi'n amlwg ei fod wedi cael llawer o bennau tost yn ddiweddar am nad oedd yr un bilsen ar ôl—er iddo ddod o hyd i dri phaced gwag. Dyna'i arfer, cadwai bacedi gweigion, ac nid pacedi yn unig ond poteli a thuniau a phob math o bethau wedi iddo ddefnyddio'r cynnwys. Yn wir roedd y lle bach yn dechrau llenwi â phethau gweigion.

Gwnaeth Wil gwpaned o goffi du—nid yn y gobaith y byddai hynny'n lleddfu'r boen yn ei ben ac yn ei ddeffro ond am nad oedd ganddo laeth, er bod digon o boteli llaeth gwag ar y llawr. Roedd wedi bwriadu cael darn o dost ond fe losgasai hwnna pan oedd e'n eistedd yn ei gadair yn ceisio anwybyddu'r boen. Roedd y coffi'n chwerw.

Ofnai agor y llenni. Fe âi'r goleuni drwy ei ben fel bwyell. Ond roedd e'n benderfynol o geisio'i fwynhau'i hunan y diwrnod hwnnw am dipyn o newid. Cyn iddo ymwroli i dynnu'r llenni aeth at y drych bach i edrych ar ei wyneb. Roedd ei groen yn welw a'i wallt tenau yn seimllyd ac roedd cysgodion tywyll o dan ei lygaid cochion. Er iddo fynd i gadw'n gynnar a chodi'n hwyr roedd e'n ddrwg ei wedd. Penderfynodd nad eilliai eto, ni welai'r pwynt, doedd e ddim yn gorfod cwrdd â neb.

Agorodd y llenni ond yn lle saeth boenus o oleuni llym gwelai ar y gwydr ddiferion o law a'r pafin yn wlyb a'r wybren yn llwyd. Newidiasai'r tywydd cyn iddo gyrraedd y llenni. Ond er bod yr haul gwan wedi diflannu doedd e ddim yn mynd i ddigalonni, er bod y boen yn annioddefol. Aeth i chwilio dan bentwr o hen bapurau newydd yn y gobaith o ddod o hyd i baced o'i dabledi. Ond heb lwyddiant, wrth gwrs. A chofiodd iddo fynd drwy'r un ddefod o chwilio am dabledi echnos pan oedd wedi ystyried ei ladd ei hunan a heb ddod o hyd i ddim y pryd hwnnw chwaith, er iddo chwilio a chwilio nes iddo anghofio'r syniad.

Gwisgodd amdano. Roedd hi bellach yn hanner awr wedi un o'r gloch. Teimlai'n siŵr y cliriai'r awyr ei ben a gallai fynd am dro i brynu tabledi a dod nôl i'r fflat a llyncu'r cyfan.

Gadawodd y stafell yn dawel gan stelcian i lawr y grisiau a mynd drwy'r drws heb damaid o sŵn.

Doedd e ddim am weld ei gymdogion na Mrs Knight, perchennog y tŷ.

Doedd y glaw ddim yn drwm a gwelai ddarnau o las yn yr wybren—arwydd o dywydd gwell, efallai. Ond doedd dim gwirionedd yn yr hen ddiarhebion 'na am y tywydd.

Cerddodd drwy strydoedd culion y Splott o'r strydoedd gemog. Gwelodd fenyw dew, groenddu, yn sefyll ar stepen ei drws yn syllu arno. Daeth rhyw deimlad drosto ei fod wedi'i gweld hi o'r blaen—nid y fenyw yn gymaint â'r olygfa—teimlad ofnadwy.

Roedd y boen yn ei ben yn erchyll a daeth pwl o fadrondod drosto. Gofynnodd y fenyw i ble'r oedd e'n mynd ond atebodd Wil mohoni. Treiglodd ymlaen drwy'r strydoedd metalaidd. Aeth ar goll am dipyn yn strydoedd y planedau nes iddo ddod allan ar heol Casnewydd. Oddi yno anelodd am y ddinas.

Er nad oedd ganddo ddim ond pumpunt ar ôl tan ei *giro* nesaf roedd am fwynhau'r diwrnod yn crwydro'r siopau fel petai ganddo hanner canpunt yn ei boced. Gallai fynd i mewn i Howell's hyd yn oed—doedd dim rhaid iddo brynu dim byd. Ond ofnai y byddai'n cael ei gyhuddo o ddwyn rhyw-beth.

Aeth i mewn i gaffe mewn arcêd i gael sudd oren. Codai tarth o ddillad pobl a fu fel yntau yn cerdded yn y glaw. Yfodd ei sudd oren ar ei ben. Roedd gwynt y bwyd yn coginio yn ddigon i godi cyfog arno.

Aeth i'r Amgueddfa. Arferai fynd yno'n aml. Câi fynd i mewn i le sych yn rhad. Ond roedd popeth yno'n hen gyfarwydd iddo bellach. Dim ond dau beth yn yr holl Amgueddfa Genedlaethol a oedd yn dal o ddiddordeb iddo. Aeth yn syth atynt— roeddynt yn weddol agos at ei gilydd fel mae'n digwydd, yng nghefn yr Amgueddfa.

Aeth at y casgliad o hen feini a chroesau Celtaidd. Ar un ohonynt roedd y geiriau Lladin:

PORVIS HIC IN TVMVLO IACIT HOMO PLANVS FVIT.

Ni wyddai pam roedd hen gofeb i wahanglwyf o Wynedd yn mynd â'i ddychymyg bob tro, ond dyna fe.

Aeth wedyn i weld sgerbwd 'Gwraig Goch' Pafiland. Darllenodd y geiriau ar ochr yr arch wydrin:

> 'claddu'n ddefodol ŵr ifanc tua 25 oed—drwy gamgymeriad cyfeiriwyd ato fel merch pan ddaethpwyd o hyd iddo ym 1823 yn Ogof y 'Goat Hole', Pafiland, Gŵyr!'

Bellach roedd y bobl a ddarganfuasai'r esgyrn hwythau wedi hen farw. A chawsai'r dyn ifanc hwn ei eni a'i gladdu yr holl flynyddoedd yna cyn i neb feddwl am Iesu Grist—mil o flynyddoedd—deg canrif am bob blwyddyn o oedran Crist bron. Sylweddolodd mai peth diweddar iawn yn hanes dyn oedd Cristnogaeth mewn gwirionedd. Daeth i'w gof gerdd Waldo am yr eneth ifanc honno, go ddiweddar ydoedd hithau hefyd o'i chymharu â hwn—dim ond canrif am bob blwyddyn o oedran Waldo ac yntau'n weddol ifanc ar y pryd. Gwelsai Waldo fywyd yn cyfrodeddu hyd yn oed mewn sgerbwd carreg. Ni allai Wil weld dim ond y cydymaith tywyll, brenin dychryniadau, angau gawr, angau bach, y lefelwr yn y sgerbwd hwn. Doedd e ddim yn sgerbwd cyflawn hyd yn oed, dim ond y goes a rhai o'r asennau. Ond roedd ei freichledi wedi goroesi'r esgyrn a doedd y pryfed ddim wedi profi'r torch bach pert o gregynnau bach y môr a osodwyd am ei wddf yr holl flynyddoedd yna'n ôl yn y gorffennol. Gan bwy? Ei fam? Ei gyd-helwyr neu'i gyd-bysgotwyr neu'i gyd-ryfelwyr? Neu'i gariad? Diau mai'r addurniadau hyn a gamarweiniodd y sawl a ddarganfu'i weddillion i feddwl mai merch ydoedd. Y Fictoriaid a'u syniadau cyfyng am wisgoedd. A ninnau ddim tamaid gwell, gwaetha'r modd. Gwarth iddo ef, a feddyliasai yn ei amser mai gwron dewr ydoedd, oedd cael ei alw'n ferch. Ond pa wahaniaeth iddo ef oedd hynny bellach? Ni wyddai ef ddim yn ei arch gyhoeddus. Wrth feddwl am y pethau hyn gwelodd Wil nad oedd pwrpas i bryderu am y llythyrau a gawsai'n ddiweddar oddi wrth y swyddfa nawdd cymdeithasol nac am farn pobl eraill am ei ddillad.

Roedd ei ben mor dost penderfynodd y byddai'n well iddo fynd yn ôl i'w stafell ar y bws.

Ymddangosai'r amser yn hir wrth i Wil aros am y bws. Yn y cwt o'i flaen roedd dau lanc yn smygu. Y tu ôl iddo roedd dwy fenyw a sgarffiau am eu pennau. Roeddynt yn dra siaradus ac yn smygu.

O'r diwedd cyrhaeddodd y bws. Prynodd Wil docyn ac aeth i eistedd. Daeth y ddwy fenyw i eistedd y tu ôl iddo. Symudodd y bws.

Gallai Wil glywed y ddwy fenyw'n siarad yn glir:
—Sut mae hi?

—Pwy?

—Dy ddraig di.

—O honno. O mae hi'n iawn ond mae hi'n dal i lerc-ian dan y gwely o hyd.

—'Na beth rhyfedd, fe ges i'r un drafferth yn gwmws 'da'r uncorn 'na oedd 'da fi slawer dydd. Ffaelu'i gael e i ddod mas o'r cwpwrdd.

Stopiodd y bws a chododd y ddwy fenyw a bant â nhw.

Prynodd Wil fisgedi, creision, llaeth a thun o ffa pob mewn siop ar y gornel ar ei ffordd adre. Dim ond arian mân oedd yn ei boced wedyn.

Pan aeth Wil i mewn i'w stafell edrychodd o'i gwmpas ar yr holl lanast o bapurau a thuniau a phacedi. A chofiodd ei fod wedi anghofio'r tabledi. Ond roedd e wedi blino gormod i fynd nôl i'r siop a doedd dim digon o arian ganddo beth bynnag.

Disgynnodd i'w wely a chwato rhwng y dillad pygddu. Penderfynodd y crogai ei hunan â'i wregys yn y bore—pe codai'n ddigon cynnar.

4
Y Chwilen

BALCHDER

YN ôl ei oriawr *Cartier* roedd hi'n hanner awr wedi chwech, amser i godi a pharatoi'i hunan ar gyfer diwrnod cystadleuol arall yn ei swyddfa lwyddiannus. Aeth i'w *jacuzzi* yn syth ar ôl cael cwpaned o goffi o'r peiriant-gwneud-coffi *Braun*, a'r coffi mor ddu â phlastig y peiriant.

Ar ôl codi o'r dŵr byrlymus brwsiodd ei wallt tonnog â'i frws *Mason & Pearson*, ac ar ôl eillio'i wyneb yn lân gwlychodd ei groen eto â phersawr *Chanel*. Eisteddodd yn ei gadair *Marcel Breuer*, yr oedd mor hoff ac mor falch ohoni, i fwyta'i *croissants*. Roedd y *Bang & Olufsen* yn chwarae cryno-ddisg newydd o gerddoriaeth Charlie Parker. Wedyn gwisgodd ei grys *Comme des Garçons*, ei esgidiau *Gaultier*, clymodd ei dei sidan *Armani* a gwisgodd ei siwt *Hugo Boss*. Dododd ei sbectols newydd â'r fframau *Yohiji Sakamoto* ar ei drwyn. Gwnaeth yn siŵr fod ei ysgrifbin *Montblanc* a'i *Filofax* croen crocodeil yn ddiogel yn ei ges *Halliburton* a bod ei allwedd i'w fflat a'i *Morgan* newydd sbon yn ei ddwylo. Cyn iddo adael edrychodd ar ei adlewyrchiad yn y drych a gwelodd mai da oedd.

Ar ei ffordd i'r swyddfa drwy drafnidiaeth araf y ddinas meddyliai am ei gariad, Seraffina, ac am y gwyliau yn ddiweddar yn Ibiza pan wisgodd hi'r nesaf peth i ddim ac weithiau lai na hynny. Gallai ei dychmygu hi yn ei *MG*, hithau hefyd ar ei ffordd i'w gwaith mewn rhan arall o'r ddinas.

Dyna pam roedd hi mor bwysig cychwyn yn gynnar yn y bore—onid oedd pawb yn y swyddfa a'i gyflogwyr yn dibynnu arno?

Ac wrth gwrs roedd Vic yn un y gellid dibynnu arno'n llwyr. Gwyddai pawb hynny, y merched yn y swyddfa a'i gyd-weithwyr a Seraffina. Dywedasai un o'i gyflogwyr, Mr Pritchard, un o berchenogion y cwmni, ei fod ef—Vic—yn graig. 'Rwyt ti fel craig, Vic, craig y cwmni', dyna ei eiriau yn union. 'Dw i'n gallu dibynnu arnat ti.'

Roedd ei dad a'i fam mor falch o'r ffordd roedd e wedi llwyddo i ddringo yn y byd busnes. 'Ond, dw i'n dal i ddringo o hyd,' meddyliodd Vic, ac yntau'n ddim ond wyth ar hugain oed, 'dim ond megis dechrau ydw i.' Roedd e'n uchelgeisiol, doedd e ddim yn mynd i ymlacio, llaesu dwylo, magu bloneg am dipyn eto. Roedd e'n mynd i gael *Porsche* newydd sbon cyn ei fod yn bymtheg ar hugain, roedd e'n mynd i gael ei dŷ ei hun, tŷ mawr hefyd, gyda lawntydd llydain a phwll nofio. Roedd e'n mynd i gael ail gartref hefyd, rhyw fwthyn bach yn y wlad, lle i dreulio penwythnosau.

Symudai ei gynlluniau ar olwynion esmwyth. Erbyn hyn roedd y ceir yn symud eto hefyd.

Priodai ef a Seraffina yn yr haf. Cawsai hithau ddyrchafiad yn ei gwaith yn ddiweddar. Caent sbloet o briodas. Rhieni Seraffina fyddai'n trefnu honno, wrth gwrs, yn Llandaf. Doedd ar Seraffina ddim eisiau plant cyn ei bod yn ddeg ar hugain—o leiaf—a dim ond dau ar y mwyaf. Popeth yn iawn o'i safbwynt ef. Edmygai Seraffina, ni ddymunai iddi golli ei hannibyniaeth o'i herwydd ef.

Pan gyrhaeddodd y swyddfa—y swyddfeydd, a bod yn gywir—cyfarchodd yr ysgrifenyddesau ef â 'Bore da, Mr Price' mor siriol â chân yr adar. Pwy fynnai adar a lodesi fel y rhain yn ei hanner addoli, meddyliodd Vic. Gwyddai Vic y buasai unrhyw un ohonynt yn barod i gymryd lle Seraffina, dim ond iddo glecian ei fysedd. Adar ysglyfaethus oeddynt.

Gweithiodd Vic drwy'r bore â'i egni a'i frwd-frydedd a'i ddiwydrwydd arferol. Rhoddai ei gorff a'i enaid yn gyfan gwbl i'w waith, wrth ffônio, wrth ffacsio, wrth ar-ddweud llythyron, wrth lenwi ffurf-lenni; wrth gadw trefn a rhoi trefn ar bopeth. Dyna pam roedd e'n ennill cyflog mor fras, dyna pam roedd ei gyd-weithwyr a'i gyflogwyr yn dibynnu arno. Dyna pam roedd e'n mynd i gael codiad cyflog neu ddyrchafiad arall cyn bo hir; doedd dim byd sicrach. Wedyn câi'r *Porsche* yna *cyn* ei fod yn ddeg ar hugain.

Aeth i ganol y ddinas i gael cinio busnes gyda Roderic. Gwyddai ei fod yn gorfod bod ar ei wyliad-wriaeth gyda hwnnw. Gwyddai hefyd ei fod yn gor-fod gochel ei bwysau ac yntau'n cael cymaint o giniawau fel hyn yn ddiweddar.

Drwy'r prynhawn gweithiodd Vic fel y gweith-iasai drwy'r bore gan roi'i holl fryd ar ei amcanion. Clywsai ddwy o'r ysgrifenyddesau'n siarad.

—Dw i ddim yn licio llawer o'r actorion yn yr hen ffilmiau, meddai un, mae'n well 'da fi'r rhai sy 'da ni nawr fel Harrison Ford a Tom Cruise a Kevin Costner. Ond rhaid imi gyfaddef—dw i'n licio Gregory Peck fel roedd e'n ifanc.

—Roedd 'na ryw hen ffilm ar y teledu pwy noson 'ma gyda Judy Garland ynddi, meddai'r llall, ac roedd hi'n siarad â'r dyn 'ma oedd yn gwisgo mwstas fach ffug, ac ar y dechrau do'n i ddim yn gallu gweld pwy o'dd e, ond dw i'n cofio meddwl, 'Mae hwnna'n bisyn'. A ti'n gw'bod pwy o'dd e? Gene Kelly. O'dd e'n arfer bod yn bert pan o'dd e'n ifanc ti'n gw'bod.

Ymddangosodd wyneb Vic heibio i gil y drws a daeth eu trafodaeth i ben yn swta. Gwenodd Vic. Doedd e ddim eisiau bod yn gas.

Aeth e'n syth o'r swyddfa i fflat Seraffina. Doedden nhw ddim wedi gweld ei gilydd am ddwy noson, felly, cyn iddyn nhw gael y cinio *Chicken Tikka* roedd Seraffina wedi'i brynu yn Marks & Spencer, aethon nhw i orwedd ar y llawr a ffycio fel anifeiliaid. Ac ar ôl y cinio gyda gwin a golau canhwyllau a cherddoriaeth ramantus aethon nhw i'r gwely i ffycio eto, fel sêr mewn ffilm y tro hwn.

—Ti'n gw'bod be dw i'n licio am dy gorff di? gofynnodd Seraffina.

—Beth?

—Cyhyrau dy stumog. Maen nhw mor dynn a chnotiog.

—Beth arall? meddai Vic.

—Wel, lliw dy groen ar ôl ein gwyliau yn Ibiza. Mae dy ben-ôl bach di mor wyn.

—A beth arall?

—Blew dy goesau.

—A beth arall?

—Dy goesau, chwarddodd Seraffina.

—Beth arall?

—Blew dy frest, mae'n felyn, fel aur.

—Rhywbeth arall?

—D'ysgwyddau, meddai Seraffina gan lyfu ei ysgwydd.

—Rhywbeth arall?

—Dy wddwg, meddai Seraffina gan gnoi ei wddwg.

—Arall?

—Dy ben-ôl, ac ar hynny plymiodd Seraffina o dan y dillad fel morlo.

Ar ôl nosweithiau fel hyn deuai'r bore'n rhy gynnar hyd yn oed i rai mor weithgar â Vic a Seraffina.

Cyn iddyn nhw adael yn eu ceir cusanodd Vic a Seraffina.

—Wnei di 'ngharu i pan fydda i'n ddyn busnes boldew heb wallt?

—Wrth gwrs, wnei di byth newid dy bersonoliaeth, meddai Seraffina, dw i'n gallu dibynnu arnat ti a dyna'r prif reswm pam 'mod i'n dy garu di.

Aeth Seraffina i ffwrdd i'r naill gyfeiriad yn ei *MG* ac aeth Vic i'r llall yn ei *Morgan*.

Mor araf oedd y drafnidiaeth yn symud y bore hwnnw. Arhosodd Vic i brynu bar *Mars* a phapur dyddiol mewn siop fach. Doedd ef na Seraffina wedi poeni am frecwast felly roedd arno eisiau bwyd, rhywbeth i'w gynnal tan amser coffi. Gwyddai nad oedd siocled yn beth da i'w fwyta yn y bore ac y byddai'n siŵr o ddifetha'i ddannedd ond roedd ei newyn yn drech nag ef.

Wrth ddod allan o'r siop, y bar *Mars* yn y naill law a'i gopi o'r *Independent* yn y llall, bu ond y dim iddo faglu dros hen drempyn. Roedd y creadur yn cerdded mor araf, yn llusgo'i draed, fel petai, a Vic ar gymaint o frys i fynd 'nôl i'w gar nes iddo fwrw'n ei erbyn. Tarawyd Vic yn bennaf gan ddrewdod y gŵr, yn fwy na'r hyrddiad a gafodd ganddo. Roedd Vic ar fin rhoi pryd o dafod iddo pan edrychodd ar y dyn am y tro cyntaf. Roedd wedi'i wisgo mewn carpiau brwnt a'i ben wedi'i orchuddio bron yn gyfan gwbl gan siôl ddu ac eithrio clwtyn gwyn oedd fel neisied dros ei wyneb. Roedd y pen yn anferth o fawr er bod y dyn ei hun yn fyr iawn, ychydig dros bum troedfedd efallai. Roedd y siôl wedi'i threfnu bron fel trwyn neu dduryn anifail. Doedd dim tamaid o'i ben na'i wyneb yn y golwg. Edrychai'n rhyfedd, yn ddychrynllyd, annaearol, yn debyg i un yn gwisgo masg mewn pantomeim a rhywbeth yn debyg i anifail neu fwystfil, rhywbeth yn debyg i chwilen ddynol. Beth bynnag, aeth y dyn hwn yn ei flaen heibio iddo ac aeth Vic i'w gar gan ymuno unwaith eto â'r llifeiriant herciog o geir a cherbydau ar eu ffordd falwenaidd i'r ddinas. Cafodd Vic dipyn o drafferth i fwyta'r bar *Mars* a gyrru ar yr un pryd.

—Bore da, Mr Price, meddai'r merched yn llawen. Ac aeth Vic ymlaen â'i waith. Am hanner awr wedi deg cafodd gwpaned o goffi ac yna ail gwpaned. Roedd hyn yn beth anarferol iawn oherwydd anaml iawn y cymerai hoe yn y bore nac yn y prynhawn, ac unwaith yn y pedwar amser yr yfai ail gwpaned o goffi. Nid bod Vic erioed wedi gwahardd seibiannau ond teimlai'r merched braidd yn euog wrth gymryd seibiant hamddenol fel petaent yn synhwyro anghymeradwyaeth Vic Price. Felly sylwodd pawb ar ei ymddygiad anarferol y bore hwnnw.

—Rwyt ti'n dawel, sylwodd Lewis yn Dylan's, amser cinio, does dim byd yn bod gobeithio, ti ddim yn dost?

—Na, dw i'n iawn, meddai Vic.

—Dyw'r golwyth 'ma ddim cystal heddiw, meddai Lewis, ydy d'un di'n iawn?

—Ydy, iawn.

—Sut mae Seraffina?

—Iawn.

Penderfynodd Lewis roi'r gorau i'w holi. Fel arfer ni fyddai Vic wedi ymateb i unrhyw sôn am Seraffina ond gyda brwdfrydedd eithafol. 'Maen nhw wedi cael ffrae,' meddyliodd Lewis.

Erbyn y prynhawn roedd Vic ei hun yn ymwybodol fod rhywbeth o'i le arno ond ni wyddai beth. Doedd e ddim yn teimlo'n dost ond ni allai ganolbwyntio â'i ymroddiad arferol. Beth bynnag a oedd yn gyfrifol am hyn roedd yn mynd yn groes i'w ewyllys.

Y noson honno daeth Seraffina i'w fflat.

—Dw i'n licio cegin dy fflat di, meddai, yn well na 'nghegin i.

—Does dim eisiau iti wneud cinio, ti goginiodd neithiwr, 'nhro i yw hi heno, meddai Vic.

—Paid â bod yn dwp. Dim ond mater o sticio'r pethau yn y microdon yw hi.

—Ie, ond dw i ddim eisiau bod yn Siofinydd, eisiau bod yn ddyn modern ydw i.

—Does dim gobaith 'da ti. Siofinydd wyt ti yn y bôn mae arna i ofn. Ond rwyt ti'n ddigon dymunol ac yn ddigon modern serch hynny. Paid â phoeni. Beth bynnag, ryn ni wedi bod dros hyn o'r blaen. Dy euogrwydd di sy'n siarad.

—Mi wn i. Eisiau gwneud rhywbeth ydw i. Dim eisiau manteisio arnat ti.

—Paid â bod mor ddifrifol, be sy'n bod arnat ti heno?

Ar ôl bwyta aeth y ddau i ddŵr y *jacuzzi* ac yna i'r gwely'n gynnar.

Deffroes Vic o hunllef yn gweiddi ac yn chwysu. Yn ei gwsg gwelsai'r creadur â'r siôl wedi'i lapio am ei ben fel duryn.

—Be sy'n bod, Vic? gofynnodd Seraffina. Ac am y tro cyntaf er y bore hwnnw meddyliodd Vic am y creadur a welsai a'i ddisgrifio i Seraffina.

—Swnio'n debyg i'r *Elephant Man* i fi, meddai hi.

—Ys gwn i beth oedd yn bod arno?

—Nytar, meddai Seraffina, mae digonedd ohonyn nhw yn y ddinas hon. Ti wedi gweld y ferch 'na sy'n mynd o gwmpas a chot dros ei phen ymhob tywydd?

—Roedd hwn yn wahanol, meddai Vic, roedd e'n llawn llathen, o gwmpas ei bethau, dw i'n siŵr. Yn fwy na hynny roedd e fel pe bai e'n deall . . .

—Sut yn y byd alli di ddweud y fath beth? Dim ond bwrw yn ei erbyn am eiliad wnest ti.

—O'n i'n gallu synhwyro'i ddeall rywsut.

—Dychmygu wyt ti. Ti'n dal i freuddwydio, dyna i gyd.

—Ys gwn i beth oedd wedi digwydd iddo, pam oedd e'n gorfod mynd o gwmpas fel'na. Ffrîc mae'n debyg, anffurfiedig. Fel yr *Elephant Man*, fel y dwedaist ti.

—Treia gysgu nawr, cariad. Cofia'n bod ni'n gorfod gweithio fory a'n bod ni'n gorfod bod yn gyf rifol. Mae pobl yn dibynnu arnon ni.

Yn y bore, pan ddaeth yn y *Morgan* i'r faestref lle

y gwelsai'r dyn rhyfedd, hanner gobeithiai Vic ei weld eto. Ond wnaeth e ddim stopio i brynu bar *Mars* y tro hwnnw. Roedd Seraffina wedi coginio brecwast da iddo. Ac am ryw reswm roedd y drafnidiaeth yn symud yn rhwyddach nag arfer.

—Bore da, Mr Price, meddai'r merched. A meddyliodd Vic mor bert a llyfn oedd eu hwynebau ac mor hir ac ystwyth oedd eu cyrff o'u cymharu â phen a chorff y dyn hwnnw yn y siôl. Y chwilen ddu o ddyn.

Wrth ei waith yn y bore meddyliodd Vic am yr holl arian roedd e'n ei ennill ac am yr holl arian roedd ei gyd-weithwyr a'i gyflogwyr yn ei ennill. Yna meddyliodd am dlodi'r dyn anffodus hwnnw. Pa fath o waith a allai hwnnw'i wneud? Ni allai weithio o gwbl a'i ben fel'na. Fuasai neb yn rhoi gwaith iddo, fuasai neb yn fodlon gweithio gydag e. Gobeithiai Vic fod mwy o gydymdeimlad yn y byd erbyn hyn. Ac os oedd y dyn bach hwnnw wedi cael ei eni fel'na . . . Ni hoffai feddwl am galedi'r fath fywyd. Ac eto, doedd e ddim am ildio i feddalwch. Roedd hi'n gas ganddo'r di-waith a'r diog a besgai ar y wladwriaeth les. A doedd dim pwynt poeni am y tlodion—onid oedd yna ryw adnod yn y Beibl, rhywbeth a ddywedasai Iesu Grist ei hun? Ond ni allai fod yn siŵr. Doedd e erioed wedi astudio'r Beibl.

Amser cinio, gyda'i gyd-weithwyr Lewis a Protheroe y tro hwn, gofynnodd Vic a oedd adnod yn y Beibl yn dweud bod y tlodion gyda ni bob amser.

—Paid â gofyn i fi, meddai Lewis.

—Na finnau, meddai Protheroe, does dim clem 'da fi.

—Pwy fydde'n gwybod 'te? gofynnodd Vic.

—Dwn i ddim, meddai Protheroe.

—Ydy e'n bwysig? gofynnodd Lewis.

—Wel, os dywedodd Crist fod y tlodion gyda ni bob amser does dim eisiau poeni amdanyn nhw, nag oes?

—Fel mae'n digwydd, meddai Protheroe gan gymryd dracht o lager, dw i ddim yn poeni amdanyn nhw o gwbl. A dw i ddim yn gorfod cael caniatâd Crist i'w hanwybyddu nhw chwaith.

—Na finnau, meddai Lewis gan stwffio tatws, cig a llysiau i'w ben, tasech chi'n gofyn i mi, arnyn nhw eu hunain mae'r bai. Fe fyddwn i'n dlawd hefyd taswn i mor ddiog â rhai ohonyn nhw. Ond dw i'n gweithio'n galed am y cyflog dw i'n ei ennill.

—Dim gofyn am ganiatâd Crist o'n i, meddai Vic, ond dw i wedi cael y syniad 'ma yn fy mhen fod Crist wedi gweud rhywbeth fel'na ac unwaith dw i'n cael syniad fel hyn dw i'n gorfod datrys y peth.

—Mae Mrs Roberts sy'n gweithio yn y dderbynfa yn mynd i ryw eglwys neu gapel. Efallai y bydd hi'n gwybod, meddai Lewis.

Felly, yn y prynhawn, gofynnodd Vic i Mrs Roberts a oedd hi'n gyfarwydd â'r adnod. Doedd hi ddim yn siŵr o'r union eiriau ond addawodd y byddai'n gofyn i un o'i chymdogion a oedd yn fwy 'siŵr o'i Beibl' na hi, ac y byddai'n rhoi gwybod i Vic yn y bore.

Y prynhawn hwnnw meddyliodd Vic am y dyn unwaith eto. Rywsut roedd ei lun yn gliriach nawr yn ei feddwl; y pen fel rhyw fath o wadd neu lygoden goch anferth. Cofiai'r dillad brwnt, drewllyd. Ar brydiau fe'i câi hi'n anodd canolbwyntio ar ei waith, felly cafodd hoe i gael coffi yn y prynhawn.

—Wyt ti'n cofio'r hen ffilm 'na gyda Charles Laughton fel *The Hunchback of Notre Dame?* gofynnodd i Seraffina y noson honno.

—Ydw, pam?

—Fel mae'r hen Quasimodo hyll yn cwympo mewn cariad â'r ferch hardd 'na—pwy oedd yr actores ys gwn·i?

—Fay Wray, Merle Oberon, efallai?

—Ta beth, mae Quasimodo yn cwympo mewn cariad â hi a does dim gobaith caneri 'da fe . . .

—Meddwl am yr hen ddyn 'na wyt ti eto, ontefe?

— . . .

—Ontefe, Vic?

—Ie.

—Wel, rho'r gorau iddi wnei di? Elli di ddim gwneud dim byd. Anghofia amdano fe.

—Dyna'r pwynt, alla i ddim.

—Vic, dwyt ti erioed yn mynd i gael rhyw fath o dröedigaeth grefyddol neu'n mynd i roi d'arian i'r trydydd byd na dim byd twp fel'na, a ninnau ar fin priodi, wyt ti?

—Nag ydw, paid â phoeni.

Ar ei ffordd i'r ddinas unwaith eto chwiliodd am y dyn rhyfedd ond welodd e mohono.

Daeth Mrs Protheroe ato a darn o bapur yn ei llaw.

—Dyma hi, meddai.

—Beth?

—Yr adnod y buoch chi'ch chwilio amdani, Mr Price.

—O, ie. Beth mae hi'n dweud?

Rhoddodd Mrs Roberts y papur iddo a darllenodd Vic y geiriau:

Canys y mae gennych y tlodion gyd â chwi bob amser. Ioan, xii. 8.

wedi'u hysgrifennu mewn llaw sigledig, anghyfar-wydd ag ysgrifennu.

—Gofynnais i Miss Parry. Buodd hi'n athrawes ysgol Sul yn ein capel ni am flynydde. Roedd hi mor falch o gael cwestiwn fel hwn. Bydd hi'n bedwar ugain eleni. Ond mae hi fel botwm. Mae'i meddwl hi mor chwim ag erioed. Wrth gwrs, roedd hi'n gwybod yr adnod yn syth. 'Ioan deuddeg, yr wythfed adnod', meddai hi fel'na. Ac mewn fflach aeth hi i nôl y Beibl i neud yn siŵr bod hi'n iawn— ac wrth gwrs, roedd hi'n berffaith gywir, fel arfer—a sgrifennodd hi'r geiriau ar y papur 'na i chi ei hunan.

—Diolch yn fawr, Mrs Roberts, a wnewch chi ddweud diolch wrth Miss Parry drosto i hefyd?

—Gwnaf, wrth gwrs.

Teimlodd Vic yn fodlon nawr ei fod wedi cael hyd i'r geiriau a fu yn ei boeni. Serch hynny ni allai ganolbwyntio ar ei waith o gwbl y bore hwnnw. Roedd y merched yn siarad gormod.

—Mae'n gas gen i ddynion hollol benfoel fel Kojak a Yul Brynner a'r nofiwr 'na, Duncan Goodhew, meddai un, mae'n 'yn hela i'n dost i edrych arnyn nhw.

—Mae Robin yn dechrau colli'i wallt. Mynd yn denau o gwmpas ei arleisiau mae e, meddai un arall, ei dalcen yn lledu meddai fe.

—Dw i wedi rhybuddio Marc os collith e'i wallt y bydda i'n ymadael ag e.

—Ond mae'n well eu bod nhw'n colli'u gwallt yn gyfan gwbl yn lle'u bod nhw'n ceisio cuddio'u moelni drwy gribo stribyn o wallt o'r naill ochr i'r llall, fel Arthur Scargill neu Terry Wogan neu Neil Kinnock . . .

Ond yn lle mynd atyn nhw a gwenu'n garedig i ddod â'r sgwrsio ofer i ben gadawodd Vic iddyn nhw barablu ymlaen ac ymlaen.

Pan ddaeth Lewis a Protheroe i alw amdano i fynd gyda nhw i Dylan's am ginio gwnaeth Vic esgus dros beidio â mynd.

—Dw i'n mynd i gwrdd â Seraffina heddiw, mae hi'n rhydd am ginio am unwaith.

Ond aeth e ddim i gwrdd â Seraffina. Aeth yn ôl i'r siop lle prynodd y siocled a'r papur a lle y gwelsai'r creadur rhyfedd y daethai i wrthdrawiad ag ef dro'n ôl. Aeth i'r siop a disgrifio'r dyn od, carpiog a gofyn a oedd e'n byw yn y cylch. Ond doedd neb wedi gweld neb tebyg i'r truan a ddisgrifiwyd gan Vic. Roedd perchennog y siop yn eithaf pendant nad oedd neb fel 'na'n byw yn y cylch nac yn mynychu'r siop.

Ond roedd Vic yn methu gadael llonydd i'r peth. Yn ei gar aeth o gwmpas yr ardal yn araf, aeth drwy'r strydoedd cefn a'r heolydd ar yr ochr nes ei fod yn troi mewn cylchoedd. Gyrrodd yn wyliadwrus gan obeithio y câi gipolwg ar y dyn. Beth roedd e'n mynd i'w ddweud wrtho ni wyddai, ond am ryw reswm roedd hi'n bwysig iddo weld y dyn eto a chael gair ag ef. Hyn oedd ei nod bellach—dod o hyd i'r creadur, rywsut neu'i gilydd. Yna sylwodd ei bod ymhell wedi'r awr ginio.

Teimlai Vic lygaid beirniadol y merched arno pan aeth yn ôl i'w swyddfa yn hwyr iawn am y tro cyntaf erioed.

Roedd e'n ceisio ailafael yn ei waith pan ddaeth Lewis ato.

—Gwell imi ddweud wrtho ti, Vic, heb hel dail, meddai, daeth Seraffina i mewn i Dylan's amser cinio heddiw. Roedd hi wedi gobeithio dy weld ti. Protheroe adawodd y gath o'r cwd—mae'r dyn 'na'n gallu bod yn anhygoel o dwp, weithiau—a dwedodd e dy fod ti wedi trefnu cwrdd â hi. Doedd hi ddim yn hapus iawn . . . a dweud y lleiaf.

—Paid â phoeni, meddai Vic, bydda i'n ei gweld hi heno a galla i egluro wrthi ble o'n i.

—Be, fuest ti ddim gyda merch arall felly?

—Dyna be o't ti'n feddwl, i'fe?

—Wel, ie a gweud y gwir.

—Dw i'n synnu ato ti yn f'amau i fel'na.

—Wel, pam dweud celwydd wrth Protheroe a fi 'te?

Ni allai feddwl am ateb. Teimlai braidd yn lletchwith ac aeth Lewis allan a golwg hunan-fodlon ar ei wyneb.

Doedd Vic ddim wedi disgwyl cael unrhyw drafferth i egluro'i hun wrth Seraffina. Teimlai'n siŵr ei bod hi'n dal i ymddiried ynddo ac i ddibynnu arno, ond pan aeth i'w fflat y noson honno roedd hi fel cath wyllt.

—Seraffina, gwranda, dw i'n mynd i ddweud y cyfan wrthot ti, meddai gan geisio achub y blaen arni, ond doedd dim yn tycio. Ni wrandawai

Seraffina.

—Paid. Paid â gwastraffu dy wynt, meddai, dw i ddim eisiau gwybod. 'Na i gyd dw i'n gwybod yw dy fod ti wedi dweud celwydd wrth dy gyd-weithwyr gan ddefnyddio f'enw i, a 'mod i wedi dy ddal di. Rwyt ti wedi 'mradychu i.

—Sera, gad imi egluro, wnei di?

—Sut gallwn i fod yn siŵr dy fod ti'n dweud y gwir y tro hwn? O'n i'n meddwl 'mod i'n gallu dibynnu arnat ti ond nawr dw i ddim mor siŵr.

—Rho gyfle imi, Sera.

—O'r gorau, deng munud. Be sydd 'da ti i ddweud?

—Ser, chwilio am y dyn 'na y gwelais i'r diwrnod o'r blaen, ti'n cofio? Fe ges i hunlle amdano. Teimlo ydw i 'mod i'n gorfod dod o hyd iddo, dw i ddim yn deall pam, ond mae rhywbeth amdano fe'n poeni fy medd . . .

—Vic, os wyt ti'n disgwyl imi gredu'r rwtsh 'na, rhaid dy fod ti'n meddwl 'mod i'n dwp neu ryw-beth. Rwyt ti'n fy sarhau i. Pam na wnei di gyfaddef dy fod ti wedi bod 'da merch arall? Dw i'n gallu deall y peth yn iawn, ond bydd hi'n cymryd tipyn o amser imi ddod dros y peth 'na gyd.

—Am y rheswm syml, Sera, dw i ddim wedi bod gyda neb arall, a dyna'r gwir. Dw i'n dy garu di. Chwilio am y dyn 'na o'n i, wir.

—Dwn i ddim beth i gredu. Mae'r stori 'na mor anhygoel. Poeni am ryw drempyn hyll. Pam dweud wrth Lewis a Protheroe dy fod ti'n cwrdd â fi felly?

—Dw i ddim wedi sôn am y trempyn wrthyn nhw, fasen nhw ddim yn deall . . .

—Wel, dw i ddim yn deall chwaith. Ond rwyt ti wedi newid yn ddiweddar, Vic. Rwyt ti wedi newid yn syfrdanol. Prin 'mod i'n dy nabod di. Os yw'r stori 'na am y trempyn yn wir wel mae'n rhaid ei fod e wedi effeithio ar dy ben di—ond efallai mai dim ond stori yw hi i guddio rhyw ferch o'r swyddfa, neu ryw butain efallai. O dwn i ddim, wir.

—Sera, dw i'n dweud y gwir wrtho ti, a liciwn i siarad am y peth.

—Mae arna i ofn na alla i ddim siarad â ti heno. Dw i eisiau bod ar fy mhen fy hun i gael meddwl am bethau. Dw i ddim eisiau dy weld ti am dipyn, iawn?

Yn y bore ar ôl noson o gwsg rhwyfus penderfynodd Vic nad âi i'r swyddfa y diwrnod hwnnw o gwbl. Roedd e'n mynd i'w fodloni'i hunan a'i chwilfrydedd ynglŷn â'r dyn rhyfedd hwnnw unwaith ac am byth drwy ddod o hyd iddo. Chymerai fawr o amser dim ond iddo roi'i holl fryd ar y gwaith a chwilio'n ddyfal, rhoi ei holl fryd ar hynny, yn yr un modd ag y taclai'i broblemau yn y swyddfa.

Aeth yn ôl eto i'r siop a'r ardal lle gwelsai'r creadur. Aeth o gwmpas y strydoedd eto unwaith, ddwywaith, arhosodd am hanner awr, aeth i gael coffi mewn caffe gerllaw, ac aeth o gwmpas y cylch unwaith eto yn y *Morgan*. Y tro hwn penderfynodd yr holai fforddolion a oedden nhw wedi gweld y creadur gan ei ddisgrifio'n fanwl. Wrth ei ddisgrifio drosodd a throsodd yn ystod y prynhawn deuai'r darlun ohono'n gliriach yn ei gof bob tro. Yna cafodd y syniad o fynd at ffrind o artist a gofyn iddo wneud darlun o'r creadur. Wedyn âi â'r llun at gwmni o dditectifs preifat yn y ddinas a gadael iddyn nhw wneud y gwaith yn lle ei fod e'n gyrru mewn cylchoedd ei hunan.

Felly y bu. Y noson honno teimlai Vic yn fwy rhydd ei feddwl. Ffôniodd Seraffina i geisio cyfadd-awdu â hi ond doedd hi ddim yn ateb y ffôn.

Roedd e wedi cadw copi o waith yr arlunydd. Roedd y llun yn ardderchog. Roedd yr arlunydd wedi dal ystum a chymeriad y dyn, neu'r hanner dyn hanner anifail, neu chwilen, yn berffaith. Astudiai Vic y llun, gallai weld y rhwygiadau a'r plygiadau yn nillad y truan. Bron na allai'i arogli unwaith eto. Syniad da oedd gofyn am gopi fel y gallai ei ddadansoddi fel hyn. Talasai ddigon am y gwreiddiol, ond roedd yn werth pob ceiniog gan fod yr arlunydd wedi dilyn ei gyfarwyddiadau'n fanwl ac wedi llwyddo'n eithriadol i weld y creadur drwy lygaid Vic, fel petai. Byddai'r ditectifs yn holi'r trampod a'r dihirod i gyd, gwaith annymunol na fuasai Vic byth wedi'i wneud. Ond doedd e ddim yn credu bod y dyn hwn yn drempyn nac yn ddihiryn. Roedd e'n dlawd ond gallai Vic ei weld e'n byw mewn rhyw dŷ, mewn ystafell dywyll, y llenni wedi'u tynnu'n dynn rhag i neb ei weld drwy'r ffenestr.

Meddyliai Vic amdano o hyd, am ei fywyd unig a chyfyng. Am ei fam yn sgrechian ac yn llewygu wrth weld y baban, yna'n ymwroli ac yn pender-fynu'i fagu orau y gallai. Y tad yn ymadael â hi. Hithau'n symud gyda'r crwtyn, y cymdogion yn dweud ei bod hi wedi cysgu gyda'r diafol ei hun. Y plant yn gwneud hwyl am ei ben, yn llythrennol.

Yntau'n penderfynu nad âi mas byth eto heb siôl wedi'i lapio am ei ben. Ei fam yn gwneud siôl arbennig ar ei gyfer â'r 'ffenest' o nisied am ei wyneb. Bywyd o guddio wrth dyfu'n gam ac yn anffurfiedig o olwg y byd a'r haul ond eto o fewn y byd.

Edrychodd Vic ar y llun unwaith eto. Roedd yr arlunydd wedi llwyddo hyd yn oed i ddal yr argraff a gawsai fod y dyn o dan y brethyn yn ddeallus, yn ddoeth hyd yn oed; roedd rhywbeth treiddgar yn ei gylch. Pwy oedd e, sut oedd e'n teimlo? Ceisiai Vic weld y tu ôl i'r benwisg hynod. Beth oedd hanes ei fywyd, beth oedd ei stori? Ar wahân i'r anffurfiad naturiol (roedd Vic yn argyhoeddedig fod y dyn wedi'i eni yn anffurfiedig) oni fuasai bywyd wedi'i anffurfio'n fwy fel y mae'n ein hanffurfio ni i gyd? Câi atebion i'r holl gwestiynau hyn gobeithiai, ar ôl i'r ditectifs ddod o hyd iddo a rhoi cyfle iddo siarad ag ef.

Ond aeth wythnosau heibio a chafodd e ddim newyddion o gwbl. Ni chysylltodd Seraffina ag ef chwaith, ac er ei fod wedi gwneud ei orau glas i'w gweld hi roedd wedi llwyddo i'w osgoi bob tro.

Fis yn ddiweddarach dywedodd y ditectifs fod eu hymholiadau'n datblygu'n araf. Ac un diwrnod, dydd Sadwrn, bu Vic ei hun yn gyrru yn y ddinas yn y gobaith o weld y creadur pan welodd Seraffina a Lewis yn cerdded gyda'i gilydd yn y glaw dan ymbarél, fraich ym mraich. Roedd Seraffina yn chwerthin. Un noson wedi hynny aethai i fflat Seraffina yn hwyr iawn gan fwriadu'i hwynebu hi, ond gwelodd *BMW* Lewis wedi'i barcio yn y stryd a gwyddai nad oedd ganddo obaith adennill ei serch.

Un bore aeth e i'r swyddfa. Doedd y merched ddim mor llawen eu 'Bore da, Mr Price' ag arfer. Ac ar ei ddesg roedd neges oddi wrth Mr Pritchard i fynd i'w weld e.

—Rych chi'n edrych yn warthus, Price, be sy'n bod arnoch chi? oedd cyfarchiad Mr Pritchard, ond arhosodd e ddim am ateb.

—Rych chi wedi colli dau gyfarfod gyda rhai o'n cwsmeriaid pwysicaf yr wythnos 'ma. A buoch chi'n absennol o'ch swyddfa sawl gwaith yn ystod y mis diwetha heb roi gwybod i neb. Beth sydd 'da chi i ddweud?

—Wel, mae gen i lawer o bethau ar fy meddwl ar hyn o bryd, sy . . .

—Dyw hwnna ddim yn ddigon da, Mr Price. Sôn ydw i am ddirywiad difrifol yn eich gwaith dros gyfnod o fwy na chwe wythnos. Wel, mae arna i ofn 'mod i eisoes wedi rhoi'r dyrchafiad a'r codiad cyflog roeddwn i wedi'i fwriadu i chi i Mr Lewis. Ac os nag 'ych chi'n adfer eich hen safonau uchel, a hynny'n fuan iawn, ga i'ch rhybuddio chi nawr, Mr Price . . . wel gawn ni siarad am hynny eto. Cawn weld wir. Bore da, Mr Price, dyna i gyd am y tro.

Taflwyd Vic oddi ar ei echel am weddill y dydd. Eisteddai yn ei stafell gan glustfeinio ar y merched yn y swyddfa.

—Mae Ffebi ein cath wedi bod yn dost yn ddiweddar, meddai un, bu'n rhaid inni fynd â hi at y milfeddyg.

—Beth oedd yn bod arni? gofynnodd un o'r lleill.

—Roedd hi wedi anafu un o'i hadenydd fel nad oedd hi'n gallu hedfan.

—Druan ohoni, sylwodd merch arall, ond paid â phoeni gormod amdani. Mae'n gallu bod yn fendith, mewn ffordd. Roedd un o'n cathod ni'n hedfan o gwmpas y gegin pwy noson 'ma ac aeth hi'n syth i mewn i we pry cop a chael ei b'yta'n fyw. Nawr ryn ni'n gweld ei heisiau hi'n ofnadwy. Mae Alun 'y ngŵr yn llefain ar ei hôl hi bob nos. Bu'n rhaid imi'i fwrw ar ei ben â chadair un noson i'w gael e i roi'r gorau iddi.

—Tasai 'ngŵr i wedi ymddwyn fel'na ar ôl cath, meddai merch arall, byddwn i wedi'i fwydo fe i'r pry cop, wir.

Roedd y tair yn chwerthin yn afreolus. Pan aeth Vic i'r swyddfa i roi taw arnynt aeth eu chwerthin yn wyllt ac yn lle tewi wrth ei weld a dangos eu parch arferol tuag ato aethant i chwerthin fwy fyth. Gwnaent iddo feddwl am wrachod. Yna aethant ymlaen â'u sgwrs heb gymryd y mymryn lleiaf o sylw ohono.

—Byddwn wir, byddwn i'n ei fwydo i'r pry cop.

Braidd yn llechwraidd aeth Vic yn ôl i'w stafell ei hun. Ond gallai glywed sgwrs y merched o hyd, er iddo gau'r drws er mwyn cael tipyn o dawelwch.

—Dw i wedi bwydo fy mam-gu i'r pry cop, clywai un ohonyn nhw'n dweud, a dw i'n bwriadu rhoi fy mab iddo cyn bo hir.

—Ydy pryfed cop yn b'yta babanod?

—Ydyn, ond weithiau maen nhw'n gadael eu pennau ar ôl.

—Wel, dw i'n mynd i fwydo plant fy chwaer iddyn nhw achos dw i wedi cael llond bol arnyn nhw'n sgrechian; sdim ots am eu pennau, mi dafla i'r rheina i'r bin sbwriel.

Cododd Vic o'i ddesg a gadael y swyddfa. Roedd e wedi cael hen ddigon. Ofnai'i fod yn colli'i bwyll, ei fod yn mynd yn wallgof i ddechrau, ond yn fwy na hynny cawsai'r teimlad rhyfedd ei fod yn byped, neu'n gymeriad mewn stori yn hytrach, ac mai lleisiau cymeriadau eraill yn y stori honno oedd lleisiau'r ysgrifenyddesau y bu'n gwrando arnynt, fel petai rhyw lenor ar ryw lefel arall yn ysgrifennu'r cyfan ar ei fympwy. Teimlai nad oedd ganddo reolaeth dros ei symudiadau na'i dynged, a bod y cyfan yn dibynnu ar y llenor.

—Dw i ddim yn mynd i ildio iddo, meddyliodd Vic, mi wna i ddifetha'i stori'n llwyr.

Dyma'r tro cyntaf iddo deimlo fel hyn ond gwyddai ei fod wedi cyffwrdd â'r gwirionedd. Hwn oedd y tro cyntaf iddo hefyd adael ei waith. Ond roedd ei agwedd tuag at ei waith, fel llawer o'i agweddau eraill wedi newid y prynhawn hwnnw. Aeth i'w gar â phenderfyniad yn datblygu, yn tyfu'n raddol yn ei feddwl, er ei fod yn dal yn go niwlog. Roedd e'n mynd i chwilio am y dyn anffurfiedig. Ni wyddai pam ond roedd y nod hwn bellach yn bwysicach iddo na'i holl drugareddau labeledig, yn bwysicach na'i dŷ, yn bwysicach na Seraffina ac yn bwysicach na'i waith a'i gyflog hyd yn oed. Dod o hyd i'r hen ddyn oedd ei waith bellach, ond ofnai fod hyn hefyd efallai'n rhan o gynllun y llenor. Ond teimlai'n ogystal rywfaint o ryddid yn sgil ei bendantrwydd newydd; gallai ddychmygu ymateb Lewis a Protheroe a Roderic a Mr Pritchard a Seraffina a'i rieni i'r syniad. Does neb yn beirniadu gweithgarwch proffesiynol neb arall. Cymerir yn ganiataol fod ein dyletswyddau'n rhan anhepgor ac annatod o'r gyfundrefn o weithgareddau anghynhyrchiol ac anghyfeb sy'n cynnal y rhan helaeth o'r economi cenedlaethol a rhyngwladol. Ar yr un pryd doedd dim amcan dyngarol yn ei benderfyniad i fynd ar ôl yr hen ddyn, daethai i'r casgliad nad oedd Crist, hyd yn oed, wedi poeni rhyw lawer am y tlodion eithr credai Vic pe câi air â'r hen ddyn y dysgai rywbeth o bwys am fywyd, am y byd ac amdano ef ei hun. Roedd y creadur wedi tyfu'n ymgnawdoliad o ddoethineb yr oesoedd yn ei feddwl, credai Vic ei fod yn oracl o fath. Teimlai Vic fod ei syniadau'n dechrau crisialu wrth iddo feddwl fel hyn.

Bu'n gyrru o gwmpas y ddinas am oriau ac roedd hi'n hwyr ac yntau wedi blino pan bu ond y dim iddo fwrw plentyn bach. Llwyddodd i osgoi'r plentyn ond cafodd ddamwain yr un fath. Aeth ei gar i wal tŷ. Bu'n rhaid cael yr heddlu, byddai'n gorfod talu am y wal a mynd o flaen ei well am yrru'n esgeulus—wrth gwrs, doedd dim sôn am y plentyn a achosodd yr alanast—ac roedd ei *Morgan* newydd sbon wedi'i ddifetha. Wrth edrych ar y car yn cael ei gludo i ffwrdd gan lori sylweddolai iddo fod yn lwcus i ddod drwyddi heb ei anafu.

Aeth i gaffe bach cyfagos i gael coffi cyn iddo feddwl am fynd tua thre. Roedd y lle bach yn brysur a bu'n rhaid iddo rannu bord gyda dyn byr, tenau â barf gwta, drionglog, ei wallt yn teneuo, sbectol gron ar ei drwyn. Wrth iddo yfed ei goffi a dechrau adennill ei gydbwysedd ar ôl y ddamwain ni allai beidio â syllu ar y dyn bach hwn. Fe'i hatgoffai o rywun, ond ni allai gofio pwy. Roedd y dyn yn yfed cwpaned o de llysieuol ac yn ysgrifennu mewn nodlyfr ar y ford. Yn sydyn cafodd Vic y teimlad fod y dyn hwn yn gwybod cyfrinach y Chwilen o ddyn, a'i fod yn ysgrifennu amdano yn y llyfryn y funud honno. A ddylai Vic dorri gair ag ef? Fe arhosai nes iddo symud, doedd dim brys yn y byd arno; wedi'r cyfan, doedd e ddim yn gweithio ac mi wnâi aros mewn un man les iddo a'i helpu i ddod dros ei brofiad erchyll yn y car.

Ar ôl rhyw chwarter awr—yn ystod yr amser hwn ni pheidiasai'r dyn sbectlog ag ysgrifennu yn ei lyfryn, ei bensil yn gorchuddio'r tudalennau â llythrennau llwyd mewn ysgrifen fân—cododd y dieithryn i fynd at y cownter i archebu te llysieuol arall. Achubodd Vic ar y cyfle i edrych ar y llyfr a adawsai'r dyn yn agored ar y ford. Darllenodd Vic:

Taflwyd Vic oddi ar ei echel am weddill y dydd. Eisteddai yn ei stafell gan glustfeinio ar y merched yn siarad yn y swyddfa.

—Mae Ffebi ein cath wedi bod yn dost yn ddiweddar, meddai un, bu'n rhaid inni fynd â hi at y milfeddyg.

—Beth oedd yn bod arni? gofynnodd un o'r lleill.

—Roedd hi wedi anafu un o'i hadenydd fel nad oedd hi'n gallu hedfan.

—Druan ohoni, sylwodd merch arall, ond paid â phoeni gormod amdani. Mae'n gallu bod yn fendith mewn ffordd. Roedd un o'n cathod ni'n hedfan o gwmpas y gegin pwy noson 'ma ac aeth hi'n syth i mewn i we pry cop a chael ei b'yta'n fyw. Nawr ryn ni'n gweld ei heisiau hi'n ofnadwy. Mae Alun, 'y ngŵr yn llefain ar ei hôl hi bob nos.

*Bu'n rhaid imi'i fwrw ar ei ben â chadair un
noson i'w gael e i roi'r gorau iddi.*

*—Tasai 'ngŵr i wedi ymddwyn fel'na ar ôl cath,
meddai merch arall, byddwn i wedi'i fwydo fe i'r
pry cop, wir.*

*Roedd y tair yn chwerthin yn afreolus. Pan
aeth Vic i'r swyddfa i roi taw arnynt aeth eu
chwerthin yn wyllt ac yn lle tewi wrth ei weld a
dangos eu parch arferol tuag ato aethant i
chwerthin fwy fyth. Gwnaent iddo feddwl am
wrachod. Yna aethant ymlaen â'u sgwrs heb
gymryd y mymryn lleiaf o sylw ohono.*

*—Byddwn wir, byddwn i'n ei fwydo i'r pry
cop.*

*Braidd yn llechwraidd, aeth Vic yn ôl i'w
stafell ei hun. Ond gallai glywed sgwrs y merched
o hyd, er iddo gau'r drws er mwyn cael tipyn
o dawelwch.*

*—Dw i wedi bwydo fy mam-gu i'r pry cop,
clywai un ohonyn nhw'n dweud, a dw i'n
bwriadu rhoi fy mab iddo cyn bo hir.*

—Ydy pryfed cop yn b'yta babanod?

*—Ydyn, ond weithiau maen nhw'n gadael eu
pennau ar ôl.*

*—Wel, dw i'n mynd i fwydo plant fy chwaer
iddyn nhw achos dw i wedi cael llond bol arnyn
nhw'n sgrechian; sdim ots am eu pennau, mi
dafla i'r rheina i'r bin sbwriel.*

*Cododd Vic o'i ddesg a gadael y swyddfa.
Roedd e wedi cael hen ddigon. Ofnai'i fod yn
colli'i bwyll, ei fod yn mynd yn wallgof i
ddechrau, ond yn fwy na hynny cawsai'r teimlad
rhyfedd ei fod yn byped, neu'n gymeriad mewn*

stori yn hytrach ac mai lleisiau cymeriadau eraill yn y stori honno oedd lleisiau'r ysgrifenyddesau y bu'n gwrando arnynt, fel petai rhyw lenor ar ryw lefel arall yn ysgrifennu'r cyfan ar ei fympwy. Teimlai nad oedd ganddo reolaeth dros ei symudiadau na'i dynged, bod y cyfan yn dibynnu ar y llenor.

—Dw i ddim yn mynd i ildio iddo, meddyliodd Vic, mi wna i ddifetha'i stori'n llwyr.

Dyma'r tro cyntaf iddo deimlo fel hyn ond gwyddai ei fod wedi cyffwrdd â'r gwirionedd. Wrth iddo ddod i waelod y tudalen daeth y dieithryn yn ôl at y ford a chan weld fod Vic yn darllen yr hyn y bu'n ei ysgrifennu cipiodd y llyfr o dan ei drwyn a symudodd i ford arall. Hwn, felly, meddyliodd Vic, oedd yr awdur, a'r unig ffordd i ddrysu ei gynlluniau ar ei gyfer oedd trwy adael y caffe.

Y noson honno yn ei wely ar ôl diwrnod annymunol yn y swyddfa, y trychineb â'r car a'r profiad rhyfedd yn y caffe ac yntau'n methu cysgu oherwydd hyn i gyd, fe gafodd Vic ryw fath o weledigaeth. Roedd e wedi colli Seraffina a'i gar a'i waith—mwy na thebyg—ac ofnai ei fod yn colli'i bwyll. Ond cysurai'i hun mai dylanwad y llenor arno oedd hynny a bod hwnnw am iddo gredu ei fod yn gwallgofi ac roedd e'n benderfynol o beidio a chymryd sylw o hwnnw. Roedd ei ddyledion yn dechrau cynyddu—bu'n talu'r ditectifs ers wythnosau heb gael rhithyn o wybodaeth o werth ganddyn nhw ynlŷn â'r Chwilen o ddyn, ond doedd y colledion hyn yn poeni dim arno. Dim ond iddo gael hyd i'r dyn, fe ddisgynnai'r darnau i'w lle. Am y tro cyntaf yn ei fywyd teimlai Vic yn rhydd. Roedd e'n rhydd o'i waith a'i uchelgeisiau ac o ddisgwyliadau'i rieni a'r gymdeithas a'i hamgylchynai ac roedd e'n rhydd oddi wrth Seraffina ac yn rhydd o'r llenor ar ôl iddo ddianc oddi wrtho yn y caffe. Doedd e erioed wedi caru Seraffina. Roedd hi a Lewis yn haeddu ei gilydd. Gwynt teg ar eu holau. Roedd y swyddfa wedi bod yn uffern o le a'r merched a weithiai yno'n wrachod. Dyna ei weledigaeth y noson honno.

Ar ôl iddo roi'r gorau i'w waith i ganolbwyntio ei holl sylw ar chwilio am y dyn anffurfiedig cerddai Vic i'r ddinas bob dydd. Cerddai i'r siop honno lle gwelsai'r creadur y bore hwnnw, fisoedd yn ôl bellach, gan obeithio ei weld yn yr un lle eto. Âi i'r siop yr un amser bob bore sef tua'r un amser â phan welsai'r dyn. Un bore felly wedi iddo brynu dau bapur, un cenedlaethol ac un lleol, aeth i'w darllen mewn parc cyfagos. Doedd dim byd diddorol wedi digwydd yn y byd. Roedd rhyw ddyn wedi cymryd hen ddryll ac wedi mynd o gwmpas yn saethu pobl; cawsai cannoedd o bobl eu sathru a'u gwasgu i farwolaeth mewn torf wrth iddynt fynd i weld gêm bêl-droed; cawsai rhyw lenor ei ddagtgymalu gan griw o Fwslemiaid nad oedd yn licio'i waith; roedd y Pab yn Rhufain wedi gwneud datganiad swyddogol i sŵn cymeradwyaeth fyddarol ei fod yn adfer y Chwilys; yn Seland Newydd roedd panda mewn sŵ wedi rhoi genedigaeth i efeilliaid. Taflodd Vic y papur cenedlaethol i fin sbwriel wrth ochr y fainc lle'r eisteddai. Yna agorodd y papur lleol. Roedd archaeolegwyr wedi darganfod gweddillion hen bentre canol oesol y tu allan i'r ddinas. Daethent o hyd i sgerbwd anghyffredin. Roedd yr esgyrn yn perthyn i ddyn byr ond corfforol, cryf iawn ond roedd y benglog yn anffurfiedig. Yn ôl un o'r archaeolegwyr, pan oedd y dyn hwn yn faban roedd y twll yn ei benglog wedi cau rhwng y talcen a'r gwegil cyn cau rhwng y clustiau. O ganlyniad i hynny tyfodd blaen ei ben i ymwthio allan yn sylweddol, a chefn ei ben hefyd. Aeth yr archaeol-egydd yn ei flaen i ddweud y buasai'r dyn hwn wedi edrych yn syfrdanol o hyll, ond mwy na thebyg y buasai wedi ennill ei le yn y gymdeithas oherwydd ei nerth anghyffredin, gallasai fod wedi bod yn of neu'n gowper efallai, a buasai pawb yn y pentre wedi'i dderbyn a dod i'w nabod a'i barchu oher-wydd ei gyfraniad gwerthfawr i fywyd y cylch.

Teimlai Vic fod y dyn hwnnw o'r gorffennol pell yn rhagflaenydd i'r hwn y bu'n chwilio amdano, y Chwilen. Ymddangosai pobl fel'na ym mhob oes, ond amrywiai'r ymateb iddynt. Yn ein hoes wareidd-iedig ni roedd y creadur yn gorfod mynd o gwmpas yn llechwraidd a'i ben wedi'i guddio dan gochl ac roedd e'n gorfod byw naill ai ar ymylon cymdeithas neu ar y tu allan iddi fel dieithryn gwrthodedig, fel gwahanglwyf.

Cerddodd Vic yn ôl i'w fflat. Yno edrychodd ar y darlun yr oedd yr artist wedi'i dynnu o'r Chwilen. Darllenodd yr erthygl yn y papur lleol eto. Doedd y llun ddim mor glir rywsut. Bu'n ei rwbio wrth edrych arno ac wrth ei gario wedi'i blygu yn ei boced. A hefyd roedd y llun o'r dyn yn dechrau pylu yn ei ben. Nid yn unig y teimlai Vic ei fod yn dechrau'i anghofio ond roedd e'n dechrau amau'i fod wedi'i weld o gwbl. Efallai bod Seraffina yn iawn wedi'r cyfan a'i fod wedi breuddwydio am y dyn, neu ai ei ddychmygu a wnaeth e—neu ynteu ai syniad a blannwyd yn ei ben gan y llenor ydoedd? Neu, eto, ai amheuaeth a heuwyd yn ei ben yn awr gan y llenor oedd yr ansicrwydd hwn? Ond sut gallai'r dychymyg lunio peth mor sylweddol? Onid oedd wedi baglu dros y creadur bron, wedi bwrw yn ei erbyn, wedi teimlo'i ddillad brwnt a chael ei wynt sur afiach yn ei ffroenau? Ac onid oedd wedi synhwyro deall y dyn, a theimlo'i fod e'n gwybod rhywbeth? Ac eto i gyd, erbyn hyn, a chymaint o amser wedi mynd heibio, ni allai Vic fod mor siŵr.

Roedd hi'n bryd iddo fynd yn ôl i'r swyddfa a gofyn am gael ei waith yn ôl, ailafael yn ei fywyd. Cael car newydd, siarad â Seraffina. Na, roedd honno wedi'i adael am Lewis, am byth, ac wedi'i adael ar y cyfle cyntaf.

Cerddodd Vic yn ôl i'r ddinas. Roedd e'n flinedig ac yn wan, heb gysgu a heb fwyd ers amser, ac roedd hi'n dipyn o ffordd i'r ddinas heb gar (doedd 'da fe gynnig i'r bysiau), ond roedd hi'n bwysig mynd yn ôl a cheisio dechrau o'r newydd.

Pan gyrhaeddodd y swyddfeydd cafodd ysgytiad o weld Mrs Roberts—roedd ganddi wyneb tylluan ac yn ei phig roedd llygoden, ei chynffon yn hongian fel carrai. Ar y ffordd lan y grisiau i'w swyddfa'i hun dyma fe'n gweld Lewis ond o'r braidd ei fod yn ei nabod oherwydd fod ganddo ben ci, a'i safnau'n glafoeri. Aeth Lewis heibio, diolch i'r drefn doedd e ddim fel petai'n nabod Vic.

Cyn iddo fynd i'w swyddfa ei hun—roedd yn dal i synio amdani felly—safodd y tu allan i'r drws am dipyn i wrando ar leisiau cyfarwydd y merched yn cloncian.

—Mae e'n byw yn Nhreganna, meddai un.

—Wel dw i'n siŵr 'mod i wedi'i weld e'n cerdded o gwmpas y Rhath, meddai un arall.

—Nag wyt, achos mae e'n dal i fyw yn yr un fflat yn Llandaf, meddai llais arall.

Amheuai Vic eu bod nhw'n siarad amdano.

—Mae mwy o bobl wedi'i weld e yn Nhreganna, nid y fi yw'r unig un. Mae e'n drewi fel y diawl ac mae e'n gwisgo rhyw fath o sach am ei ben.

—Wel, 'na fe rwyt ti'n disgrifio'r un un ond dw i'n siŵr ei fod i'w weld yn amlach yn y Rhath.

—Mae un o'm cymdogion i wedi'i weld e yn Llandaf yn prynu sglod a sgod, felly mae'n amlwg nad yw e ddim yn byw yn bell. Fyddai fe ddim yn gallu mynd yn bell â bwyd poeth, a fyddai fe ddim yn b'yta yn y stryd fel mae rhai pobl yn gwneud neu fyddai fe'n gorfod tynnu'r siôl 'na oddi ar ei ben a byddai'n gorfod dangos ei wyneb.

Nid amdano fe roedden nhw'n siarad wedi'r cyfan eithr am y Chwilen. Roedden nhw wedi'i weld e, bob un ohonyn nhw.

Camodd Vic i ganol y swyddfa gan weiddi

—Ble mae e nawr?

Dechreuodd y merched sgrechian, neu grawcian yn hytrach, oherwydd sylwodd Vic eu bod i gyd yn frain.

Wrth glywed y cythrwfl daeth rhywun arall i'r stafell gan sefyll y tu ôl i Vic a gofyn

—Be sy'n bod?

Pan droes Vic i weld pwy oedd yno gwyddai mai Pritchard oedd e er bod ganddo ben llyffant hyll a'i fod yn wyrdd ac yn diferu o lysnafedd. Roedd golwg ffiaidd yn ei lygaid melyn anferth, chwydd-edig.

Rhedodd Vic o'r swyddfa gan garlamu lawr y grisiau a baglu'i ffordd i'r stryd. Roedd y bobl i gyd yn y ddinas wedi troi'n adar ac yn anifeiliaid gwyllt. Ond roedd pob un ohonyn nhw'n edrych arno fel petasai rhywbeth yn bod arno fe yn hytrach nag arnyn nhw. Gwnaeth llwynog a chath ymgais i afael ynddo ond llithrodd Vic o'u crafangau.

Rhedodd nes iddo gyrraedd ei fflat a chloi'r drws ar ei ôl. Yno lapiodd garthen am ei ben mewn ymgais i gau'r sŵn allan.

5
Pe Bai'r Wyddfa
i Gyd yn Gaws

GWTHIODD Robyn yr *éclair* anferth i ogof ei geg yn gyfan. Glynodd peth o'r hufen yng nghorneli'i fwstas llaes a disgynnodd briwsion siocled i lawr ei ên a thros ei fynydd o fola.

—Ga i un arall, Mam? gofynnodd Robyn.

—Cei, wrth gwrs, fy machgen annwyl i.

—A, Mam?

—Ie, 'ngwas i?

—Wnei di roi'r record 'na 'O, ble gest ti'r ddawn?' ymlaen?

—Gwnaf, wrth gwrs, fy mlodyn, os wyt ti mo'yn.

O, ble gest ti'r ddawn i dorri calonnau . . .

—Pam wyt ti mo'yn y gân 'ma, Robyn? Mae'n eitha trist, on'd yw hi?

—Dyna pam, Mam. Dw i'n teimlo'n drist iawn heno.

—O? Pam wyt ti'n teimlo'n drist, 'nghariad bach i? Gwêd wrth dy fam.

—Mae Wendy wedi 'ngadael i, Mam.

Aethai Robyn i'r ddinas i gwrdd â'i ffrind Wendy ac aethon nhw i fwyty crand o'r enw Chwe-Deg-Naw i ddathlu dyrchafiad Robyn yn is-gynorthwy-ydd cynorthwyol yn swyddfa cyngor y dre.

Gwisgai Wendy ffrog newydd bert las a blodau bach melyn arni, ac roedd hi wedi cael ei gwallt wedi'i drin yn arbennig ar gyfer yr achlysur. Edrychai'n daclus iawn ond doedd hi ddim yn hardd â'i llygaid broga mawr a'i gwallt melyn tenau. Ond o leiaf roedd hi wedi gwneud ymdrech. Pan welodd hi Robyn ni wyddai pam yr aethai i gymaint o drafferth. Edrychodd arno a siom yn ei chalon, mewn gair roedd e'n flêr. Roedd e'n gwisgo'r un dillad brwnt ag a wisgasai i'r swyddfa y diwrnod hwnnw, dillad llac, glas tywyll a brown. Doedd e ddim wedi trafferthu eillio chwaith, doedd e ddim wedi trafferthu eillio ers tridiau felly roedd ei fochau a'i ên yn llwyn o wrych geirwon. Medd-yliodd Wendy am y Twrch Trwyth ar unwaith, ac am Ysbaddaden Bencawr hefyd oherwydd bod gan Robyn gynffon o wallt tenau, seimllyd, a hongiai dros ei war fel cwtyn llygoden. Ni fyddai byth yn golchi'r gwallt hwn.

Serch hyn i gyd hoffai Wendy feddwl ei bod yn caru Robyn mewn ffordd. Gallai fod yn ddifyr a diddorol a choleddasai Wendy y gobaith y gallai ei newid pe gallai'i ddenu oddi wrth ei fam. Ond yn ddiweddar roedd hi'n dechrau colli amynedd, roedd hi'n ei weld e'n hunanol ac yn frwnt. Roedd e wastad wedi tueddu i fod yn gnawdol, ond erbyn hyn roedd e wedi magu gormod o bwysau. Pan eis-teddodd i lawr ar y gadair fach â choesau tenau yn y bwyty ofnai Wendy ei gweld hi'n torri oddi tano.

—O, Robyn, dw i mor falch. O'r diwedd rwyt ti'n dechrau dod ymlaen yn y byd. Pan gwrddon ni a dechrau . . . dechrau dod yn ffrindiau, wyth mlyn-edd yn ôl bellach, mae'n anodd credu, on'd yw hi? Pwy fyddai'n meddwl y byddet ti'n is-gynorthwyydd cynorthwyol heddiw? A ninnau'n dal i fod yn . . .

ffrindiau?

—Wel, do'n i ddim yn edrych mor anobeithol, o'n i Wendy?

—O, na, nid dyna o'n i'n feddwl, do'n i ddim yn awgrymu dy fod ti'n edrych ... Wel, ti'n gw'bod.

—Nag ydw, Wendy. Dwyt ti ddim yn siarad yn glir iawn heno o gwbl. Prin dy fod ti'n gwneud synnwyr. A finnau'n gobeithio dathlu fy nyrchafiad. Paid â hela fi i deimlo'n bendrist fel y mae gen ti ryw ddawn i'w wneud weithiau.

—O, do'n i ddim eisiau brifo dy deimladau di. Wir, nag o'n, Robyn.

—-Wel gadewch inni edrych ar y fwydlen i weld be gawn ni i'w f'yta i ddathlu.

Darllenodd Robyn y fwydlen â'i drwyn. Er ei fod yn gwisgo sbectols â gwydrau trwchus iawn, roedd e'n ofnadwy o fyr ei olwg. Wrth iddo graffu ar y geiriau bach syllodd Wendy arno. Edrychai'n debyg i wadd anferth â'i lygaid gwan, ei ddwylo tew pinc a'i ewinedd hir brwnt, crafanglyd.

Daeth un o'r gweinyddion atynt o gornel y bwyty.

—Beth wyt ti'n mynd i'w gael, Wendy?

—Dw i'n mynd i gael y cawl llysiau i ddechrau ac omled a salad fel prif saig.

—Dyna i gyd?

—Ie. Oes gwahaniaeth 'da ti, Robyn?

—Nag oes. Ond dathlu 'yn ni cofia. Felly fe gymera i'r corgimychiaid ac afocado a bara garlleg a myshrwms i ddechrau a chimwch gyda llysiau a salad a sglodion tatws ar yr ochr. A be gymerwn ni i'w yfed—wel siampên wrth gwrs!

—Dim i fi, diolch Robyn.

—Ti'n gallu bod yn boen yn y pen-ôl weithiau, Wendy; ryn ni'n dathlu, cofia.

—O, iawn 'te, fe gymera i siampên hefyd.

—Sdim eisiau i ti orfodi dy hun er mwyn 'y mhlesio i.

—Robyn. Dw i'n eithaf hapus i yfed siampên i ddathlu dy ddyrchafiad di, iawn?

—Iawn. Sdim eisiau i ti droi'n gas chwaith. Gobeithio na fydd y bwyd 'ma'n hir. Dw i'n llwgu.

Ar hynny cyrhaeddodd y bwyd a gosododd y gweinydd fowlen o gawl o flaen Wendy a gwydryn hir yn llawn o gorgimychiaid pinc, yn goesau ac yn deimlyddion tenau ac yn llygaid bach duon i gyd, o flaen Robyn.

Roedd Wendy yn dawel, wedi pwdu. Gwyliodd Robyn yn rhwygo cyrff y corgimychiaid ac yn taflu eu canolau bach noeth i lawr ei lwnc, un ar ôl y llall, gan adael pentwr o sgerbydau bach oren ar y plât.

Yna daeth y prif brydau. Omled a salad i Wendy a chimwch anferth i Robyn, yn union fel corgimwch wedi tyfu'n gawr mewn ffilm ffug-wyddonol. Craciodd Robyn arfwisg goch y cimwch a rhwygodd y cnawd â'i fysedd a chyda'i ddannedd. Stwffiodd y sglodion a'r bara i'w geg bron ar yr un pryd a chymerodd ddrachtiau o siampên i olchi'r bwyd i lawr ei lwnc.

Ond rhwng y ddiod a'r pwdin—cafodd Wendy hufen iâ fanila a chafodd Robyn fynydd bach o broffiterôls a saws siocled yn diferu drostynt—fe laciwyd eu tafodau.

—O, Wendy, dw i mor falch dy fod ti wedi dod 'da fi

i ddathlu heno. Dw i wedi mwynhau fy hunan yn fawr iawn, meddai Robyn, ar ôl dechrau ar ei ail Gadair Idris o broffiterôls. Roedd y ddau yn yfed coffi.

—Wel, nawr bod gen ti well swydd a char, ac rwyt ti'n meddwl prynu dy fflat dy hun, dim ond un peth arall sydd eisiau.

—Beth wyt ti'n feddwl?

—Wel, meddwl oeddwn i, ydy dy fywyd di'n gyflawn?

—Ti'n iawn, Wendy. Ti'n nabod fi'n dda, on'd wyt ti?

—Ryn ni wedi bod yn ffrindiau agos ers dros wyth mlynedd, Robyn.

—Ti'n iawn, Wendy, fe fydd rhaid imi gael rhyw gi neu gath i gadw cwmni i mi. Rhywbeth byw o gwmpas y lle.

—Ga i ragor o'r coffi 'na, Robyn?

—Cei wrth gwrs.

—O's 'na ryw ffilm dda ar y teledu heno tybed?

—Nag oes.

—Wel oes fideo 'da ti o rywbeth 'te?

—Nag oes.

—Robyn. Mae'n ddrwg 'da fi ond dw i'n teimlo'n flinedig. Well imi fynd.

—Beth am dy got?

Wrth iddynt adael y bwyty gofynnodd Robyn yn betrus:

—Wendy. Hoffet ti ddod acw heno?

—Mae'n rhy ddiweddar, Robyn. Dw i wedi bod yn crybwyll y peth drwy'r noson ond weithiau ti'n gallu bod mor ddideimlad â bloc o goncrid.

—Ga i fynd â ti adre yn fy nghar 'te?

—Ti'n anghofio, Robyn, fod gen i fy nghar fy hun—dyna sut cyrhaeddais i yma heno. Diolch yn fawr. Fe wela i di o gwmpas. Hwyl.

Ciliodd Wendy mewn cwmwl o oerni. Arllwysodd Robyn ei gorff mawr meddal i'w gar bach. Prin ei fod yn ffitio.

Wrth feddwl am y noson yn awr teimlai'n isel ei ysbryd.

Yna daeth ei fam ato â dau *pizza* crwn gyda chig a chaws a selsig a llysiau, pupur coch a gwyrdd, a madarch a chorgimychiaid a ham a thiwna ac ansiofis ac olifau du ar eu pennau nhw.

—Ar ôl iti f'yta rheina mae 'da fi ddau *gâteau* siocled a hufen iti, meddai'i fam.

Y diwrnod wedyn roedd Robin yn gweithio yn y swyddfa pan ddaeth galwad ffôn iddo. Wendy oedd ar y pen arall.

—Mae'n ddrwg gen i, Robyn, ond dw i wedi penderfynu dw i ddim eisiau dy weld ti eto . . .

—Ond, Wendy, mae'n ddrwg gen i hefyd . . .

—Paid â dweud dim! Paid â thorri ar fy nhraws i o hyd. Dw i wedi gwrando digon arnat ti. Wedi cael wyth mlynedd yn dy ganlyn di, yn gwrando arnat ti'n siarad am dy waith anniddorol, dy gar bach hen ffasiwn, a dw i wedi dy wylio di'n b'yta fel mochyn—a dw i wedi cael digon. Dwyt ti byth wedi gofyn imi am fy ngwaith i, byth wedi dangos dim diddordeb yn fy mywyd i. Rwyt ti mor hunanol ac mor ddideimlad â ffenest. Wel, mae hi ar ben ar ein cyfeillgarwch ni. Paid â cheisio cysylltu â fi.

Diflannodd ei llais. Gorffennodd Robyn ei waith am y dydd. Gofynnodd i'w fam wneud pryd mawr o basta a chig moch a chig eidion a chaws. A gwnaeth hithau hynny yn unol â'i gyfarwyddiadau. Pan ddaeth y bwyd roedd y caws yn toddi i'r pasta a'r cig fel cig ifanc, tyner, yn toddi, bron, ar y tafod. Golchodd Robyn y cyfan i lawr â sawl peint o gwrw. Doedd e ddim yn cadw cyfrif.

Yna, un bore ar ôl brecwast o uwd a siwgr ac wyth tocyn o dost yn nofio mewn menyn a chwech sleisen o facwn, a selsig a thri wy a bara wedi'i ffrio a thri chwpaned o goffi hufennog â phum llwyaid o siwgr ymhob un ohonynt, cusanodd Robyn ei fam ar ei boch â'i fwstas gwlyb gan ddweud:

—Ta ta, Mam. Dw i'n mynd i'r swyddfa nawr. Fe wela i di heno.

—Ta ta, fy neiamwnt, meddai'i fam.

Ond daeth Robyn yn ôl yn syth.

—Be sy'n bod, deryn bach? gofynnodd ei fam.

—Alla i ddim mynd i'r swyddfa heddi, Mam.

—Pam fy ngheiriosyn bach? Dwyt ti ddim yn dost nag wyt ti?

—Nag ydw, ond alla i ddim mynd heddi.

—Wel, gwêd pam, fy nhrysor i.

—Alla i ddim mynd mewn i'r car. Mae'n rhy fach.

—Paid â phoeni, meddai'i fam, aros di yma 'da fi.

Yna cafodd y ddau bryd o fwyd. Cawsant un o ffefrynnau Robyn, sef golwyth cig eidion a salad a sglodion tatws a bara menyn. Roedd y tatws yn frown ac yn denau ac yn seimllyd, y salad yn sylweddol ac yn wyrdd a choch ac yn galed gydag olew a garlleg arno. Roedd y golwyth yn dyner ac yn llawn sudd a gwaed, yn binc y tu mewn.

Yn ddiweddarach yn ystod y mis tyngedfennol

hwnnw cododd Robyn i fynd am dro i stafell arall yn y tŷ dim ond i ganfod na allai fynd drwy'r drws.

—Paid ti â phoeni, meddai ei fam, mi ddo i â bwyd iti. Beth am sglodion tatws a *gateau* neu ddwy nawr ac wedyn cei di rywbeth mwy sylweddol yn nes ymlaen?

Un noson roedd Robyn yn gwylio'r teledu a bocs o siocledi wrth ei ochr. Roedd wedi gorffen wyth pecyn mawr o greision yn barod pan ddiflannodd y llun. Galwodd ei fam drydanydd ar y ffôn i ddod i ddrwsio'r teledu. Yn y cyfamser, wrth iddynt aros amdano, ffôniodd ei fam am *pizzas* gan archebu rhai mawr dwfn gyda chaws ac olifau, corgimychiaid, madarch a chig moch a bara garlleg.

Yna daeth y trydanydd. Tywysodd mam Robyn y dyn i'r stafell lle'r oedd Robyn yn gorwedd o flaen y teledu diffygiol yn bwyta'r *pizza*. Safodd y peiriannydd, dyn bach tywyll gyda mwstas a phloryn ar ochr chwith ei drwyn, yn y drws am dipyn yn edrych arno fel petai wedi'i syfrdanu.

—Be sy'n bod? gofynnodd Robyn.

—D-dim byd, meddai'r peiriannydd.

—Wel dewch i mewn 'te.

—Oes lle i ni'n dau?

—Beth 'ych chi'n feddwl?

—Dim byd. Dim byd.

—Tipyn o dwpsyn, meddyliai Robyn, gan bwyntio at y teledu yn y gornel.

—Dyw'r bechingalw 'ma ddim yn gweithio, meddai'r dyn.

—Athrylith, meddyliodd Robyn.

—Ydych chi wedi bod yn ei wylio fe ormod yn

ddiweddar?

—Dw i ddim yn meddwl, atebodd Robyn.

Ar ei ffordd allan ar ôl iddo orffen cywiro'r teledu, gofynnodd y trydanydd i'r fam.

—Be sy'n bod ar y boi 'na?

—Beth 'ych chi'n feddwl?

—Wel, be sy wedi digwydd iddo fe?

—Does dim byd wedi digwydd iddo fe, meddai mam Robyn.

—Ond pam mae e'n gorwedd fel'na fel hen forfil anferth ar draeth?

—Peidiwch â galw 'mab annwyl i'n forfil, cerwch o 'ma.

Yna sylweddolodd Robyn un diwrnod na allai ei godi'i hunan o'r llawr.

—Mam, meddai, dyw bywyd ddim gwerth ei fyw fel hyn.

—Paid â phoeni dy ben fy rhosyn i, mi ddo i â bwyd iti.

Roedd Robyn yn fawr ac yn drwm, ond ddim mor drwm â John Brower Minnoch a bwysai 635kg ym 1978, na Walter Hudson a bwysai 544kg ym 1942, na Michael Walker a bwysai 538kg ym 1971, na Robert Earl Hughes a bwysai 485kg ym 1930.

Yna, un diwrnod, daeth ei fam ato gan ddweud:

—Fy mab annwyl, coron fy nghalon, hen wraig weddw dlawd ydw i. Er 'mod i'n dy garu di'n fwy na dim byd arall yn 'y mywyd i, alla i ddim fforddio dy gadw di fel hyn ar fy mhensiwn i. Dw i wedi gwerthu popeth ac wedi gwario fy nghynilion i gyd er mwyn dy fwydo di, meddai.

—Paid â llefain, Mam, dere 'ma ataf i, imi gael rhoi sws iti.

Aeth yr hen fenyw fach ato â llawenydd yn ei chalon gan daflu'i breichiau serchus amdano, er ei fod yn rhy lydan i'w gofleidio. Cofleidiodd Robyn ei fam gan ei gwasgu'n dynn i'w fynwes swmpus nes ei mygu i farwolaeth.

Wrth iddo edrych ar gorff ei fam, yr unig beth a boenai Robyn oedd sut y byddai ei chnawd yn blasu heb ei goginio.

6
Tra Bo Dau

AGER dros y drych. Tynnais lun o wyneb crwn â'm bys; dau lygad a gwên fawr; yna cliriais y gwydr â chledr fy llaw.

Roedd Steffan yn gorwedd yn y bàth, yn ymdrochi mewn dŵr poeth, llwyd. Roeddwn i'n mynd i lanhau fy nannedd. Dodais falwoden o bast strib-edog coch a gwyn ar y brws a dodi'r brws yn fy ngheg a dechrau sgwrio'r dannedd a'r gorcharfan-nau'n egnïol, gan wneud yr ystumiau a thynnu'r gwepau anochel ond angenrheidiol wrth imi geisio cyrraedd y dannedd cefn. Roedd Steffan yn chwarae â'i bidlen. Roedd ganddo fe godiad mawr.

Wrth edrych yn ôl a chofio'r olygfa honno, tybed nad oedd hyn yn arwydd o ddiwedd ein perthynas? Cymerer unrhyw berthynas rhwng dau ac mae'n amlwg bod un yn ormod.

Aeth fy ngheg yn ewynnog fel gwaedgi gwallgof yn glafoeri, ond bod fy mhoer i'n binc. Troes Steffan yn y dŵr a gwenu arnaf i'n ei astudio yn y drych. Cefais syniad direidus. Poerais y past pinc i'r cafn a llenwi cwpan â dŵr oer o'r tap. Ond yn lle swilio fy ngheg cerddais draw at erchwyn y bàth a dal y cwpan yn fygythiol uwchben, fel cleddyf Damocles—roedd Damocles wedi ymffrostio mae y fe oedd y dyn hapusaf yn y byd.

—Paid ti â gollwng diferyn o'r dŵr 'na! meddai

Steffan. Edrychai'n hynod o ddiymadferth, yn noeth, yn wlyb; hanner chwys, hanner yn ddŵr o'r bàth; yn gorwedd ar ei gefn a'i gala'n chwyddedig a choch, yn agored i'r byd a phob ymosodiad.

—Paid! hanner rhybudd, hanner erfyniad.

—Be wnei di?

—Fe gei di weld os gollyngi di'r un diferyn o'r dŵr oer 'na!

Chwerthin oeddwn i, gan fwynhau fy hunan. Gogwyddais y cwpan ryw fymryn ac anelu am y stumog dynn, gyhyrog, ond wnes i ddim gadael dim o'r dŵr i ddisgyn. Roeddwn i am ei boenydio fel hyn am dipyn.

Un tro aethon ni am dro yn yr haul crasboeth i lan y môr. Fe orweddon ni ar y traeth. Sylwais ar gorff Steffan a dywedais:

—Rwyt ti'n dechrau magu bola. Aeth e'n gacwn gwyllt ac ar ôl hynny âi i Ganolfan Cadw'n Heini yn y ddinas i nofio a gwneud ymarfer corff bob bore nes iddo fagu cyhyrau tynn yn rhesi dros ei ganol. Aeth e'n falch, bron yn rhy falch, o'i gorff ar ôl hynny. Doedd arno ddim cywilydd cerdded drwy strydoedd prysuraf y ddinas heb grys yn yr haf. Wrth gwrs, roeddwn innau'n falch o gael cerdded gyda fe fel'na. Un tro aethon ni fel hyn i mewn i siop fawr yn y ddinas a chogio eisiau prynu ffeiloffacs lledr. Daeth dyn ifanc swil atom i weini arnom a dangos y rhai oedd yn lledr ffug, y rhai a oedd yn lledr llo a'r rhai croen crocodeil. Ond prin y gallai'r dyn guddio'i chwithdod a'i swildod wrth orfod siarad â dyn hanner noeth mewn siop mor barchus.

Penliniais wrth ochr y baddon gan osod y cwpan o ddŵr oer yn beryglus ar yr ymyl. Cymerais ddarn o sebon yn fy nwylo a'i rwbio nes cynhyrchu ewyn a swigod, taenu'r rhain wedyn ar wddwg ac ysgwyddau Steffan. Wnaeth e ddim gwrthwynebu, caeodd ei lygaid gan ymlacio a mwynhau'r mwythau. Roedd ei ysgwyddau'n llydan a llyfn. Lledaenais y sebon dros ei frest. Roedd ei frest yn flewog; dim ond digon i addurno a thanlinellu'i lunieidd-dra. Yna symudais fy nwylo i lawr i'w stumog. Roedd ei stumog yn sidanaidd ac yn galed ar yr un pryd. Yna i lawr eto. Caledodd a chwyddodd ei gala yn fy llaw. Agorodd ei lygaid.

—Paid, meddai.

Heb ei rybuddio, codais y dŵr oer a'i arllwys ar draws ei gorff i gyd. Neidiodd o'r baddon a rhedais innau am y drws. Rhedodd Steffan yn wlyb domen ar f'ôl i drwy'r lolfa rownd y cadeiriau, ceisiais guddio yn y wardrob, aethon ni o stafell i stafell yn chwerthin yn aflywodraethus fel plant gwyllt, nes bod y carped yn wlyb a nes iddo fy nal i yn y stafell wely lle gwasgodd fi nes 'mod i'n wlyb yn fy nillad. Gwasgodd fi a thynnodd fi i lawr ar y gwely.

Erbyn meddwl, roedd ein carwriaeth yn dirwyn i ben y pryd hwnnw neu fuasai fe ddim wedi gwrthod i mi gyffwrdd ag ef yn y bàth.

Rydw i'n cofio golygfa arall yn gynnar yn ein hanes. Doeddwn i ddim wedi dechrau byw gyda Steffan ar y pryd. Roedd e wedi galw amdanaf un noson yn fy fflat ond fe benderfynon ni gerdded drwy'r eira i'w fflat ef, a oedd yn fwy o faint ac yn fwy cyfforddus na'm fflat i, a doedd gen i ddim microdon na chwaraeydd cryno-ddisgiau.

Fore trannoeth, y ddau ohonom yn gorwedd yn y gwely yn cael brecwast—roedd peiriant-gwneud-coffi gan Steffan; coffi cryf, *croissants* poeth a menyn a jam. Roedd wedi tynnu'r llenni nôl a gallem weld yr eira'n gorchuddio'r ddinas. Roedd record yn chwarae Erik Satie. Roedd Steffan yn dipyn o snob cerddorol.

Mor anodd yw cofio cariadon ac mor anodd yw cofio serch. Fel ceisio cofio oerni'r gaeaf yng ngwres yr haf, neu geisio dwyn i gof boen asgwrn wedi'i dorri amser maith ar ôl iddo wella'n llwyr. Ond mae'n ddigon hawdd cofio dechrau perthynas a sut y daeth i ben, dim ond y cyfnod rhwng y ddau begwn sy'n niwlog.

Na, dydw i ddim yn cofio'r dechrau'n glir hyd yn oed; dydw i ddim yn cofio sut y bu inni gwrdd. Daeth i'm fflat bach am de—dim ond brithgofion sydd gen i cyn hynny, dyna'r dechreuad yn fy meddwl i—fe ddaeth e â ffrwythyn Kiwi fel anrheg. Dyna pryd y dysgais fod Steffan, fel finnau, yn gigymwrthodwr. Roedd llawer o bethau'n gyffredin rhyngom. Roedd e'n licio jazz, Ella, Billie Holliday, Satchmo, yr hen gantorion. Cafodd Steffan ei eni ym mis Rhagfyr, yr un mis â finnau, roedd y ddau ohonom yn Saethyddion felly.

Pethau fel hyn sy'n clymu pobl meddir.

Un diwrnod yn fuan ar ôl inni gael fflat gyda'n gilydd ar bwys yr afon, deuthum yn ôl o'r swyddfa lle'r oeddwn i'n gweithio a dod o hyd i Steffan yn cerdded o gwmpas yn hollol noethlymun. Doeddwn i ddim yn gyfarwydd â'r fath ymddygiad. Roeddwn i'n swil ofnadwy ynglŷn â'm corff fy hun—dim cyhyrau, dim blew, asennau amlwg—ond i Steffan roedd bod yn borcyn yn hollol naturiol. Ni phoenai am dynnu'r llenni chwaith, ni phoenai o gwbl am y cymdogion. Ond deuthum i werthfgawrogi'i ryddid a'i naturioldeb a dod i deimlo'n fwy rhydd a chyfforddus fy hunan. Fel hyn y dechreuodd ein harfer o rannu'r stafell ymolchi yr un pryd. Cyn hynny doeddwn i erioed wedi gadael i neb ddod i mewn i'r stafell ymolchi gyda fi, ond doedd dim clo ar y drws yn ein fflat newydd ni. Un prynhawn roeddwn i'n ymdrochi a cherddodd Steffan i mewn a dechrau golchi'i wyneb. Pan fynegais f'anfodlonrwydd, mynegodd Steffan ei syndod. Ac wrth gwrs, y fe oedd yn iawn. Wedi'r cyfan, roedden ni'n gwbl gyfarwydd â chyrff ein gilydd. Ac aeth ein bywydau'n blethwaith tyn, cysgu gyda'n gilydd, ymolchi gyda'n gilydd, bwyta gyda'n gilydd, mynd i bartïon a ffilmiau a chlybiau gyda'n gilydd. Wrth gwrs, ein hunig amser ar wahân oedd pan oeddwn i'n gweithio yn y swyddfa a Steffan yn y Banc. Pan ddaeth ein gwyliau hir yn yr haf doedd dim amser ar wahân wedyn.

Sagittarius y saethydd, fel y dywedais, oedd ein harwydd ni'n dau ar y Sidydd. Y Saethydd; yr unig arwydd ar y Sidydd sy'n cario arf; ei ran uchaf yn ddyn a'i ran isaf, o'r wasg i lawr yn geffyl, carnog, cryf. Cyfuniad o'r gwyllt a'r gwâr, dyna sy'n rhoi i'r Saethydd, meddir, ei natur oriog, anwadal. Mae personoliaeth y Saethydd yn allblyg a lliwgar (ei hoff liwiau yw coch, porffor, glas, y lliwiau ymerodrol); mae'n brin o bwyll ond yn meddu ar *panache;* mae'n gystadleuol, yn hoff o chwaraeon ac yn arbennig o hoff o deithio, nid yw byth yn aros mewn un lle'n hir iawn, ac o ganlyniad nid yw byth yn magu gwreiddiau. Ac i brofi hynny, cafodd pobl fel Edith Piaf, Noël Coward a Walt Disney eu geni dan arwydd y Saethydd. Cafodd Steffan ei eni ar yr ail o Ragfyr gan rannu'i ben blwydd â Maria Callas.

Ond y mae ochr arall i bersonoliaeth y Saethydd, fe ymddengys. Cafodd Baruch Spinoza ei eni dan arwydd y Saethydd hefyd; yr athronydd a dreuliodd ei oes yn caboli gwydrau yn Amsterdam lle cafodd ei eni, ac yna yn yr Hague lle treuliodd weddill ei oes. Treuliodd Jane Austen, Saethydd arall, ei hoes ddiddigwydd gyda'i theulu. Ac yn ôl Picasso, Manuel de Falla, y cyfansoddwr o Saethydd o Granada, cyfaill Lorca, oedd y dyn mwyaf swil yn y byd. Ond y Saethydd mwyaf annodweddiadol o'r arwydd oedd y bardd o America, Emily Dickinson. Meudwy agoraffobig. Treuliodd oes gyfan yn nhŷ ei thad. Ond mae'r astrolegwyr yn ein rhybuddio fod elfennau ar wahân i'r arwyddion yr ydym yn cael ein geni oddi tanynt yn cyfrif am ein personoliaethau.

Cymerer unrhyw berthynas rhwng dau ac mae'n amlwg bod un yn ormod.

Roedd y tywydd yn braf yr haf hwnnw.

Un diwrnod roedd Steffan yn golchi'i wyneb yn y stafell ymolchi, yn plygu uwchben y cafn, yn tasgu dŵr dros ei ruddiau a'i dalcen. Wrth gwrs roedd e'n noethlymun fel arfer. Wyddai fe ddim fy mod i wedi dihuno ac wedi codi ac yn sefyll y tu ôl iddo. Cydiais yn ei ben-ôl â'm dwylo. Roedd ei ben-ôl yn ddigri o flewog, fel melfaréd neu fel eirinen. Cusanais ef ar ei war, ac ar ei glust a oedd yn wlyb.

—Beth am fynd i lan y môr 'to? gofynnais.

—Be, cerdded yr holl ffordd eto?

—Pam lai? Rwyt ti wedi colli pwysau ers y tro diwetha!

—Reit, awn ni 'te. Ti'n barod?

Dyna'r tro y casglasom ni'r cerrig mawrion, cerrig anferth i addurno'r fflat. Un i'w rhoi y tu ôl i ddrws y stafell ymolchi i gau'r drws ar gyfer ymwelwyr a'r llall i gadw drws y lolfa ar agor. Cerrig llwyd, bron cymaint â meini hirion bach. Bu'n rhaid inni ddal bws yn ôl er mwyn eu cludo nhw.

Wyddwn i ddim ar y pryd fod y cerrig hyn yn mynd i fod yn symbolau o'n perthynas. Mae bywyd yn llawn o arwyddion, ond dydyn ni ddim yn gwybod sut i'w darllen nes ei bod hi'n rhy hwyr weithiau. Ond ofer yw ceisio chwilio am arwyddion o hyd, fel Kafka yn y stori honno amdano'n mynd am dro gyda'i gyfaill Janouch. Roedd y ddau'n cerdded drwy strydoedd Praha pan stopiodd Kafka yn ddisymwth.

—Beth sy'n bod? meddai Janouch.

—Drycha. Wyt ti'n ei weld e?

—Ci bach pert, meddai Janouch.

—Ci? meddai Kafka.

—Ie ci ifanc.

—Ond ai ci oedd e?

—Pomeranian bach oedd e, meddai Janouch.

—Pomeranian? meddai Kafka.

—Fe allai fod yn gi ond fe allai fod yn arwydd

hefyd. Rydyn ni'n gwneud camgymeriadau dybryd weithiau.

—Na. Dim ond ci bach oedd e, atebodd y bardd ifanc yn sionc.

Cymerodd Steffan waith mewn bar yn un o glybiau nos y ddinas. Roedd arnom angen yr arian i dalu am y fflat a'r car newydd. Arferwn fynd i'r clwb gydag e ar y dechrau a thra byddai e'n gweithio y tu ôl i'r bar awn i o gwmpas i siarad â'n ffrindiau, i yfed ac i ddawnsio. O dro i dro yn ystod y noson câi Steffan gyfle i adael ei waith a dod i ddawnsio gyda fi. Ond prin oedd y cyfleon hyn. Caeai'r clwb yn oriau mân y bore. Roeddwn i'n gorfod gadael pan gaeid y drysau, ond roedd Steffan yn gorfod gweithio am awr arall. Nid arhoswn amdano y tu allan i'r clwb ond awn adre i'r fflat i ddisgwyl amdano yn y gwely. Ar y dechrau deuai adre â'i egni dihysbydd arferol i garu a gwres a chwys ei waith yn dal ar ei gorff. Yna ar ôl un noson arbennig o brysur daeth yn ôl yn rhy flinedig i garu, a finnau wedi bod yn disgwyl amdano. Ar ôl hynny amlhaodd y nos-weithiau o fethu caru wedi iddo weithio yn y clwb.

Roedd pawb yn y clwb yn gwybod ein bod ni'n mynd gyda'n gilydd, yn 'bâr'. Dim ond ni'n dau oedd yn gwybod nad oedd dim cytundeb mewn geiriau rhyngom, dim ond dealltwriaeth benagored. Roedd Steffan wedi dweud na allai fe byth fod yn ffyddlon i un. Byddai'n gorfod cael cariadon eraill weithiau, meddai, ond imi ddeall nad oedd dim byd o bwys yn yr achlysuron hynny, y fi oedd yr un. Roedd lot o ddynion yn ei ffansïo, fe wyddwn hynny, ond ar y pryd roeddwn i'n teimlo mor siŵr ohono. Doedd dim cysgod o bryder nac ansicrwydd yn cymylu fy ffydd ynddo. Neu, a oedd yna? Rhyw gysgod efallai? Does neb mor siŵr â hynny o neb arall, wedi'r cyfan.

Cymerer unrhyw berthynas rhwng dau ac mae'n amlwg bod un yn ormod.

Un noson deuthum adre o'r clwb a dechrau gwrando ar gerddoriaeth brudd Erik Satie a dechrau meddwl am y dyn rhyfedd hwnnw. Y noson honno daeth Steffan adre o'r clwb a dweud ei fod e'n mynd i gysgu ar ei ben ei hun yn yr ystafell arall. Gwnaeth yr esgus ei fod e'n flinedig iawn ac roeddwn i'n ei gredu.

Roedd ein cyfeillgarwch mor gadarn ag erioed, y cyd-dynnu a'r cyd-chwarae, doedd dim byd wedi newid eto, dim ond y nosweithiau.

Un noson roeddwn i wedi gweld dyn â gwallt gwyn yn dangos llawer o ddiddordeb yn Steffan; siaradai ag ef wrth y bar am amser, gwenai arno. A'r noson honno cerddais adre ar fy mhen fy hun a chwlwm yn fy mol. Arhosais amdano. Aeth yr amser yr arferai ddychwelyd heibio. Ddaeth e ddim. Liw nos yn fy ngwely sylweddolais fod fy mywyd a'm henaid wedi cael eu clymu wrth ei fywyd ef, rhywbeth oedd wedi digwydd heb imi wybod. Chefais i ddim arwydd pa bryd y digwyddodd hynny.

Fe newidiodd pethau wedyn, do. Cogio roeddwn i, cogio bod ein cyfeillgarwch yr un mor gadarn ag erioed. Ond roedd ansicrwydd wedi dod i nythu yn fy nghalon.

Un prynhawn aeth Steffan i ateb drws y fflat a daeth lan y grisiau gyda'r dyn â'r gwallt gwyn. Ieuan oedd ei enw. Aeth y ddau i mewn i stafell Steffan. Chwarae teg iddyn nhw, ar ôl iddyn nhw orffen cefais wahoddiad i fynd gyda nhw yng nghar Ieuan. Doeddwn i ddim eisiau mynd, ond o edrych yn ôl rydw i'n credu i mi dderbyn y cynnig er mwyn i mi gael cadw llygad ar Steffan. Fe gawson ni hwyl. Ni'n tri.

Cymerer unrhyw berthynas rhwng tri ac mae'n amlwg bod un, o leiaf, yn ormod.

Deuai Ieuan i'r fflat yn amlach. Daeth yn rhan o'n bywydau. Roedd e'n hŷn na Steffan, yn hŷn o lawer, roedd e'n hŷn na fi. Roedd ganddo gar newydd sgleiniog. Mae car yn arwydd—yn arwydd o ryddid. Roedd swydd gyfrifol ganddo ac enillai arian mawr. Roedd ganddo wraig hefyd, a mab tua'r un oedran â Steffan. Roedd e'n mynd i gael ysgariad, meddai.

Pan ddeuai Ieuan i'r fflat byddai'n gwenu; gwenai Steffan hefyd. Arwyddion oedd y gwenau hyn. Daeth arwyddion eraill i'r fflat. Cafodd Steffan deleffon. Yn fuan wedyn daeth teledu lliw newydd. Ac wedyn fideo. Roedd gwên Steffan pan ddeuai Ieuan i'r fflat yn golygu'i fod e'n edrych ymlaen at gael anrheg newydd. Roedd gwên Ieuan yn golygu'i fod yn edrych ymlaen at gael defnyddio corff Steffan. Roedd eu gwenau'n werth eu gweld.

Yna daeth Ieuan i weld Steffan i ddweud ei fod e'n mynd i ffwrdd ynglŷn â'i waith y penwythnos hwnnw. Prynhawn dydd Gwener oedd hi. Aeth y ddau i mewn i stafell Steffan a gallwn glywed sŵn eu caru. Sawl noson y gorweddais ar ddihun ar fy ngwely fy hun yn gwrando ar y sŵn hwnnw'n dod drwy'r waliau gan ymbelydru drwy'r tywyllwch. Y tro hwn roedd brys yn eu caru. Roedd yr angerdd yn gyflymach, yn arwach, yn fwy didrugaredd. Ar ôl rhyw hanner awr daeth Ieuan allan o stafell Steffan, ei ddillad a'i wallt yn aflêr. Daeth Steffan allan hefyd gyda dim ond lliain am ei ganol. Roedd chwys ar ei gorff a gwrid ar ei ruddiau. Cusanodd Ieuan ef yn awchus wrth y drws cyn gadael y fflat. Clywais Steffan yn ochneidio ar ôl iddo fynd; ochenaid o ollyngod a rhyddhad yn hytrach na hiraeth. Ar hynny fe deimlais rywbeth fel gobaith yn codi yn fy nghalon. Penwythnos heb ymyrraeth Ieuan. Penwythnos fel yr hen ddyddiau—nad oedd ond ychydig o wythnosau yn ôl mewn gwirionedd.

Ond aeth Steffan i mewn i'w stafell gan gau'r drws ar ei ôl. Roedd e'n flinedig. Nid oherwydd bod Ieuan wedi defnyddio'i gorff ond oherwydd bod llawer o bobl, gan gynnwys Ieuan a finnau, yn ei chwenychu. Rywsut roedd y dyheadau hyn i gyd yn treiddio i'w ysbryd ac yn dreth ar ei egni.

Fe gysgodd yn ei stafell am awr neu ddwy. Yn nes ymlaen daeth allan ac i mewn i'r stafell ymolchi gan gau'r drws ar ei ôl a chlywais y garreg fawr yn cael ei gosod yn erbyn y drws. Dyna'r tro cyntaf iddo wneud hyn. Fy nghau i allan. Aeth yn ôl i'w wely am weddill y prynhawn.

Teimlais yn isel iawn f'ysbryd, teimlais yn ansicr. Doedd yr hen hen bobl ddim yn defnyddio termau fel hyn, termau wedi'u sancteiddio gan y clinig. Yn hytrach soniant am y galon drom—

> Mae 'nghalon i cyn drymed
> Â'r march sy'n dringo'r rhiw . . .

ac am y galon yn torri—

> Ow fy nghalon paid â thorri . . .

ac am flinder a dolur a hiraeth wrth gwrs—

> Pan fwyf dryma'r nos yn cysgu,
> Fe ddaw hiraeth ac a'm ddeffry.

Sylweddolais y noson honno fod arnaf angen yr hen bethau priddlyd, elfennol, sylfaenol. Rhyw swyngyfaredd, rhyw swyn serch. Mae pobl ddiymadferth bob amser yn troi at ofergoelion. Clywswn fod yr hen bobl ers talwm yn credu y gellid cael y cariad i ddod dim ond drwy ailadrodd ei enw drosodd a throsodd. Felly dywedais enw Steffan drosodd a throsodd filoedd o weithiau, drwy'r nos, nes imi gysgu gan wybod yn bendant fod ofergoeliaeth yn ddiwerth.

Nos Sadwrn aethon ni i'r clwb, ond ar wahân. Gwelais Steffan yn siarad â llanc ifanc mewn crys gwyn ysgafn. Gadewais y clwb yn gynnar. Codais yn y bore, wedi cysgu'n drwm ond yn rhwyfus drwy'r nos, a cherdded i mewn i'r stafell ymolchi. Roedd rhywun yn ymdrochi yn y baddon. Y llanc yn y dillad gwyn—ond heb y dillad. Roedd e wedi gadael drws yr ystafell yn agored led y pen. Doedd e ddim wedi sylwi arnaf yn dod i mewn. Gallwn weld ei gefn, yn llyfn ac yn wlyb. Gallwn weld ei goesau hirion, blewog. Roedd e'n ifanc iawn. Gadewais y stafell yn dawel.

Sylwais fod y llanc wedi gadael drws stafell Steffan yn agored hefyd. Gallwn weld Steffan yn cysgu ar y gwely, ei freichiau ar led. Argraff corff arall yn y gwely wrth ei ochr. Ar y gwely ac ar y llawr roedd arwyddion noson o garu nwydwyllt.

Euthum yn ôl i'm gwely am awr arall. Clywais symudiadau yn y fflat ac yna, tawelwch eto. Tybiais fod y fflat yn wag ond pan es i i mewn i'r stafell ymolchi roedd Steffan a'r llanc yn cusanu'n angerddol, wedi ymgolli ormod yn y cusan i sylwi ar fy mhresenoldeb i, eu cyrff gwlyb yn glynu yn ei gilydd.

Yna canodd y ffôn. Fe'i hatebais—
—Steffan!
—Ie, atebodd yntau o'r stafell ymolchi.
—Mae Ieuan ar y ffôn iti.

Cymerer unrhyw berthynas rhwng pedwar ac mae'n amlwg bod sawl un yn ormod.

Daeth Ieuan yn ôl. Wyddai e ddim ei fod e wedi cael ei dwyllo. Neu os gwyddai doedd e ddim yn hidio. Roedd ganddo fwy o anrhegion i Steffan. Ysgrifbin aur, brws dannedd aur!

Bob nos yr wythnos wedyn daeth Ieuan i gysgu'r nos gyda Steffan. Deuthum yn gyfarwydd â gwrando ar sŵn bywydau pobl eraill yn dod drwy'r muriau.

Ar ddiwedd yr wythnos aeth Ieuan i ffwrdd eto. Ni welais i ddim o Steffan ar y Sadwrn. Es i ddim i'r clwb. Ar y Sul aeth Steffan am dro. Daeth yn ôl i'r fflat wedyn gyda dau butain, i mewn i'w stafell â nhw a chau'r drws ar eu hôlau. Gwrandewais ar sŵn pleser, mor debyg i sŵn poen, cyn mynd am dro fy hunan. Cerddais i'r parc ac arhosais yno tan tua chwech o'r gloch. Ar y ffordd nôl cerddais hyd glan yr afon. Dyna pryd y penderfynais y byddwn yn fy lladd fy hunan. Awn i lawr i'r afon, fe wisgwn fy nghot fawr a dodwn y cerrig mawr yn y pocedi a boddi fy hunan fel Virginia Woolf. Yn rhyfedd iawn roedd y syniad o'r awdures denau yn cerdded i mewn i'r afon Ouse a charreg fawr yn ei phoced yn fy nharo i'n ddoniol iawn.

Diolch i'r drefn, roedd y puteiniaid wedi mynd erbyn imi gyrraedd y fflat.

Doedd dim Cymraeg rhwng Steffan a finnau. Caeais fy hunan yn fy stafell.

Daeth Ieuan i'r fflat. Roedd e wedi prynu hen oriawr aur gan Cartier i Steffan. Aeth y ddau i mewn i'w stafell. Yn nes ymlaen roeddwn i'n yfed cwpaned o goffi pan ddaeth Steffan allan a gofyn imi wneud dau gwpaned o goffi. Gan ychwanegu:

—Dwi'n mynd i adael y fflat 'ma.

—Fy ngadael i rwyt ti'n 'i feddwl.

—Wel, ydw, meddai, yn ffeithiol, ond does dim ots 'da ti, nag oes? 'Dyn ni ddim wedi bod gyda'n gilydd ers amser.

Ond roedd ots 'da fi. Nid fy newis i oedd gwahanu.

—Mae Ieuan wedi cael fflat imi, meddai gan gymryd y cwpanau o'r ford a mynd â nhw i'w stafell lle'r oedd Ieuan yn aros amdano.

Allwn i ddim byw heb Steffan. Gallwn ddioddef ei fryntni tuag ataf, ei ddifaterwch calon-galed, ond allwn i ddim bod hebddo.

Penderfynais y byddwn yn fy lladd fy hunan y noson honno. Doedd dim byd i'w wneud tan hynny ond aros am y nos. Aros yn fy stafell fel yr arhosodd Emily Dickinson yn ei stafell hithau, yn aros am

101

angau.

O'r diwedd fe ddaeth y nos. Clywais Steffan a Ieuan yn mynd i'r gwely. Tynnais fy nghot fawr o'r wardrob a'i gwisgo amdanaf. Cerddais ar flaenau fy nhraed i nôl y cerrig mawr a'u stwffio i mewn i'r pocedi. Roedd y pwysau'n drwm, yn ddigon i'm tynnu i lawr o dan y dŵr. Roeddwn i'n barod felly i gerdded draw i'r afon. Ond cyn imi fynd sefais y tu allan i stafell Steffan. Gallwn glywed y ddau yn anadlu. Allwn i ddim gadael heb gael un cipolwg arall ar Steffan.

Agorais y drws. Ffolineb oedd hynny; gallaswn fod wedi'u deffro nhw.

Ieuan oedd yn cysgu agosaf at y drws. Gallwn weld Steffan yn cysgu'r ochr arall. Fel arfer doedd e ddim wedi cau'r llenni a deuai goleuni'r lloer drwy'r ffenest dros ei wyneb, ar draws ei gorff. Gallwn weld ei frest yn codi a gostwng gyda'i anadl.

Ar hynny daeth popeth yn glir. Daeth pob arwydd a welswn erioed yn fy mywyd yn ôl imi ac roeddwn i'n eu deall nhw i gyd. A gofynnais pam y dylwn i ladd fy hun heb ladd Steffan? Steffan a ddaeth i newid ac yna i anffurfio fy mywyd. Symudais yn nes at y gwely a gofyn pam y dylwn i ladd fy hunan a Steffan heb ladd Ieuan a ddaeth a newid Steffan gan ei anffurfio yntau? Aeth popeth yn goch. Llithrais y garreg fwyaf allan o'r boced a'i chodi yn yr awyr uwchben pen Ieuan. Yna â holl nerth fy nghorff a'm cenfigen hyrddiais y garreg i lawr ar ei benglog. Clywais ei ben yn suddo i mewn i'r glustog ac i mewn i'r gwely dan yr ergyd. Ofnais na fyddai'r ergyd yn ddigon cryf. Felly codais y garreg eto a'i fwrw eto, ac eto. Ar hynny sylwais fod Steffan wedi dihuno. Roedd e'n rhythu arnaf mewn braw ac annealltwriaeth. Allwn i ddim dioddef yr edrychiad. Curais ef yn ei wyneb â'r ergyd nesaf ac eto, ac eto. Roedd fy mreichiau'n gweithio ohonynt eu hunain, gan gario'r garreg yn ôl ac ymlaen, yn ôl ac ymlaen, yn beiriannol. Drosodd a throsodd. Cododd Steffan ei fraich mewn ymgais i'm rhwystro ond roedd f'angerdd wedi cynysgaeddu 'mreichiau â nerth ffyrnig. Doedd gan Steffan ddim gobaith yn erbyn yr ymosodiadau hyn. Steffan a arferai fy ngwasgu i i lawr a'm taflu ar y gwely—yn fuan roedd e'n swp o waed ac esgyrn ar yr union wely hwnnw. Roeddwn i wedi'i ladd e, doedd dim bywyd ar ôl yn ei gorff. Roeddwn i wedi'i orchfygu a'i gosbi. Yna sylwais fod Ieuan yn symud, ei freichiau'n ffusto'r awyr yn wyllt. Troais ato a rhoi ergyd arall yn ei ben, ar ei gorun. Roedd yr ergydion cyntaf wedi'i niweidio, ei ddarn lladd a gweud y gwir, roedd ei drwyn a'i lygaid a'i geg yn waed i gyd, ond gyda'r glonc ar ei gorun—clywais yr asgwrn yn cracio— collodd ei synnwyr heb golli'i ymwybyddiaeth yn llwyr. Ergyd arall ac roedd yntau'n farw. Gadewais y garreg ar ei wyneb. Tynnais y garreg arall o'm poced a'i defnyddio i gario ymlaen â'm gwaith ar Steffan, ei fwrw eto a'i bwnio nes nad oedd dim o'i wyneb ar ôl, ei falu nes bod fy mreichiau'n hollol ddiffrwyth.

Sefais i edrych ar y lle. Roedd y gwely yn domen o waed. Sylwais ar fy nwylo rhuddion. A sylwais ar y tawelwch.

Yna fe gofiais am Steffan ac am yr hwyl a gaw-som gyda'n gilydd cyn i bethau droi'n chwerw.

Credaf i'r rhod droi yn ein perthynas y diwrnod hwnnw yn y stafell ymolchi. Ond allwn i ddim darllen yr arwyddion ar y pryd.

Euthum i mewn i'r stafell ymolchi ac edrych yn y drych. Roedd haen o waed yn cuddio f'wyneb.

7
Câr Dy Gymydog

MOR ddig oedd Iolo pan gawsai lythyr arall oddi wrth y banc, yn Saesneg i gyd, wrth gwrs, wedi'i gyfeirio ato fel Mr 1% Jones. A phan ddaeth yr adroddiad swyddogol o'r ysbyty i gadarnhau bod AIDS ganddo cofiodd Iolo am y dryll a'r bwledi a gawsai ar ôl rhyw hen ewythr. O ble y cawsai'r ewythr yr erfyn ni wyddai ac ni thrafferthodd ofyn erioed. Roedd y dryll yn un o'r pethau hyll yna a draddodid o law i law gan blant i blant ac i blant y plant yn dreftadaeth fel sgerbwd yn y cwpwrdd, sy'n hel llwch a neb yn cael gwared arno am resymau 'sentimental'.

—Iolo, meddai Iolo wrtho'i hunan, rwyt ti fel Caligula Camus a'r llofrudd yn y stori honno gan John Gwilym Jones, yn rhydd o bob cyfrifoldeb moesol o hyn ymlaen. Yn ddig ond yn rhydd. Yn ddig wrth bwy? Duw—nad wyt ti ddim yn credu ynddo—bywyd, bydysawd, Arise Evans testun dy draethawd ymchwil dibendraw di, pawb a phopeth. Ond yn bennaf rwyt ti'n teimlo'n ddig wrth y bobl sydd wedi bod yn angharedig, yn amharchus, yn anfoesgar tuag atat, fel y doctoriaid a'r nyrsys yn yr ysbyty, fel y bobl swnllyd lan llofft a'u cathod drewllyd a'r gitarydd drws nesaf a'r lesbiad atgas honno Ffani Ciwcýmber a'r efengylwr gwrth-hoyw hwnnw Dr Alan Hergg-Nimmo a ddywedodd taw cosb Duw oedd AIDS.

Heb oedi aeth Iolo at ei ddesg gan sgubo tudalennau driphlith draphlith ei draethawd ar Arise Evans o'r neilltu, a gwneud rhestr o'r bobl hyn.

Arise Evans oedd y proffwyd a'r dewin a rwbiodd y ddafaden ar ei drwyn yn llaw Siarl II mewn ymgais i'w gwella. Cafodd Rhys neu Rice neu Arise Evans freuddwydion a gweledigaethau a gallai weld y dyfodol. Gallai Iolo ddangos a phrofi sut roedd ei destunau'n darogan pethau mawr hanes cyn iddynt ddigwydd.

Nawr roedd Iolo wedi gorffen ei restr ac roedd e'n barod i ddechrau ar ei genhadaeth.

—Gallwn ddechrau â'r bobl lan llofft, meddyliodd. Roedden nhw'n cadw sŵn drwy'r nos neithiwr.

Er ei fod wedi dioddef y mwstwr beunos ni ddaethai erioed yn gyfarwydd ag ef fel y gallai ei anwybyddu a chysgu trwyddo. Y fenyw yn chwerthin ac yn gweiddi mewn llais plentynnaidd. Yna ar ôl i Iolo fynd i'r gwely dyma nhw'n cael cnychwest. Roedd eu stafell nhw yn union uwchben ei stafell ef a gallai glywed y gwely a'r ddau yn cwyno dan ergydion yr angerdd nwydwyllt, chwyslyd. Ond swniai'r cyfan yn debycach i hen arferiad straenllyd, yn hytrach nag i brofiad angerddol.

Lan a lawr y grisiau y rhedai'r hen gathod fel mamothiaid blewog hefyd. Nawr roedd un o'r pedair—meddyliai Iolo amdanynt fel y pedwar llew tew heb ddim blew, mor afiach oeddynt, roedd y disgrifiad yn un addas—wedi cachu y tu allan i ddrws ei stafell.

Mor ofnadwy oedd y drewdod!

Aeth Iolo i fyny'r grisiau.

—Bore da, meddai. Roedd y fenyw ifanc yn eistedd yn ei chegin yn bwyta; cot nos amdani, llygaid molglafaidd, cyrlars yn ei gwallt, cath ar ei harffed yn rhannu'i brecwast. Menyw dew a surbwch oedd hi.

—Ie, beth 'ych chi'n mo'yn? gofynnodd yn floesg.

—Nawr 'te, dw i eisiau cael gair 'da chi ynglŷn â'ch cathod. Mae un ohonyn nhw wedi cachu y tu allan i'm stafell i.

—O, 'na drueni mawr. Newydd godi ydw i a dw i ddim wedi cael amser i'w lanhau 'to. Ta beth, beth yw e i chi?

—Gwrandewch, meddai Iolo, fel mae'n digwydd dw i'n byw yn y tŷ hwn hefyd, dw i'n gorfod mynd a dod fel pawb arall a dw i ddim eisiau sathru ym maw eich cathod chi, diolch yn fawr.

—Iesgob, os 'ych chi'n mynd i weiddi fel 'na dw i'n mynd i alw ar fy ngŵr. Bob! Bob! Dere 'ma glou. Mae'r dyn 'ma'n mynd yn wyllt.

Ymddangosodd y gŵr ifanc o rywle, heb wisgo, yn ei beijamas, heb eillio, ei wallt yn flêr.

—Sut wyt ti'n disgwyl imi gysgu, Monica, 'da ti'n gweiddi fel 'na? meddai. Dim ond hanner awr wedi deg yw hi a ti'n gw'bod 'mod i'n licio cysgu tan hanner dydd, neu mi fydda i'n isel f'ysbryd drwy'r prynhawn.

—Ti'n gweld y dyn 'ma? Mae'n dweud pethau cas am y cathod.

—Wyt ti'n drysu neu beth? Pa bethau cas?

—Ych-a-fi, maen nhw'n drewi, yn frwnt, yn rhechlyd ac yn ffiaidd, meddai Iolo.

—Ti'n gweld, Bob? Heb gael amser y bore 'ma 'to. Sdim eisiau bod fel'na, nag oes?

—A beth 'ych chi'n mynd i'w wneud felly? gofyn-
nodd Iolo.

—Braidd yn gynnar 'to i wneud unrhyw beth, on'd
yw hi?

—Esgusodwch fi, meddai'r wraig yn gwta, ond dw
i ddim yn mynd i'w lanhau 'to. Doeddwn i ddim
wedi cael amser i orffen fy mrecwast cyn i'r
gwallgofddyn 'ma ddod ar fy nhraws i a dechrau
taranu a hela ofn arna i a'r cathod.

Roedd Iolo yn grac nawr. Tynnodd y dryll o'i
boced gan ddweud 'Dyma rywbeth i'ch cathod,
Bob a Monica' a saethu'r gŵr yn ei stumog. Rhoes y
fenyw sgrech, felly saethodd Iolo hi yn ei phen.

Yna aeth i chwilio am y cathod a'u taflu o'r
ffenestr fesul un i lawr ar goncrid yr iard gefn dri
llawr oddi tani. Gan fod y cathod yn hen a thew
doedd ganddyn nhw ddim gobaith adennill eu
cydbwysedd wrth lanio. Disgynnodd y pedair, un ar
ôl y llall, yn siwps fel tomatos ar y llawr caled.

Symudasai rhywun newydd i'r stafell drws nesaf
i Iolo yn ddiweddar. Gitarydd oedd e. Fe ddechreu-
odd ganu'r offeryn y noson gyntaf y daeth i fyw yn y
stafell. Yn y bore a dechrau'r prynhawn byddai'n
dawel. Ond yn y diwetydd fe ddechreuai'r sŵn eto.
A dyna fyddai'r drefn drwy'r nos. Curai Iolo y wal
â'i ymbarél ond ni thyciai hynny ddim. Chymerai'r
gitarydd ddim sylw, dim ond stampio i ateb bob tro
y curai Iolo'r wal, a dal ati i chwarae.

Tan yn ddiweddar bu Iolo'n gweithio'n ddiwyd,
yn dawel ei feddwl, ar ei draethawd. Codai am saith
yn y bore, gwneud disgled o de a dechrau ar ei
astudiaethau'n syth. Codai nodiadau. Gwaith
manwl iawn. Dyna waith y bore. Câi doriad am

gwpaned o de llysieuol tuag un ar ddeg o'r gloch y bore, yna câi ginio syml tuag un o'r gloch; wyau neu reis a llysiau. Wedyn drwy'r prynhawn byddai'n darllen llyfrau fel cefndir i'w destun, llyfrau ar hanes y cyfnod, ac o'r llyfrau hyn codai ragor o nodiadau perthnasol i'w drafodaeth a ysgrifennai ar gardiau bach hirsgwar a llinellau glas arnynt. Yna, yn y nos, fel arfer, deuai'r goleuni. Byddai Iolo'n dechrau ysgrifennu. Weithiau ysgrifennai am ddwy awr neu dair, ond bryd arall âi i dipyn o hwyl gan ysgrifennu tan un ar ddeg o'r gloch neu hanner nos.

Ond hoffai fynd i'w wely'n gynnar. Unwaith y mae rhywun yn dechrau arfer codi'n hwyr yn y bore, buan y cyll ei hunanddisgyblaeth ac y mae hunanddisgyblaeth yn hanfodol i rywun fel Iolo.

Roedd pethau wedi newid. Rhwng sŵn y bobl lan llofft a'r gitarydd yn ei gadw ar ddihun tan oriau mân y bore.

I goroni'r cyfan ni allai Iolo gysgu gan ei fod yn corddi cymaint. Nid yn unig y sŵn a gorddai ei deimladau eithr amarch y peth. Cofiai am stori a glywsai am ddyn a oedd yn byw mewn stryd lle'r aethai parti swnllyd yn ei flaen am ddyddiau. Cwynodd y dyn hwnnw wrth yr heddlu. Dywedodd yr heddlu na allen nhw wneud dim ynglŷn â'r peth. Ar ôl iddo ddioddef y mwstwr am ddeuddydd arall aeth y dyn allan i'r stryd a sefyll o flaen y tŷ lle'r oedd y parti, o flaen y ffenest lle gallai weld pobl yn dawnsio ac yn yfed ac yn cyfeddach, a chododd ddryll i'w ysgwydd a'i anelu at y stafell a'i danio. Lladdwyd dau o bobl a brifwyd eraill—ond dyna ben ar y parti. Gallai Iolo ddeall y dyn hwnnw, felly aeth at ddrws ei gymydog a rhoi gwth iddo ac fe agorodd.

—Dyw pobl sy'n cysgu drwy'r bore byth yn cloi'u drysau, meddyliodd Iolo.

Ac yn ddigon siŵr roedd y 'cerddor' (meddyliai Iolo amdano fel 'cerddor' a dyfyn-nodau eironig o gwmpas y gair) yn huno yn ei wely o hyd. Chlywodd e ddim o Iolo yn dod i'r stafell.

Moel a blêr oedd y lle. Gwely, a chlustogau amryliw ar y llawr. Llun mawr ar y wal o ddyn du â barf a gwallt hir yn chwarae gitâr.

Er mawr lawenydd iddo canfu Iolo'r gitâr ar y llawr. Gitâr drydan. Tynnodd y plwg o'r wal a chan godi'r offeryn uwch ei ben fe'i bwriodd â'i holl nerth ar y llawr, ar y llawr eto, ar y wal, ar y wal arall, yn erbyn y wal acw, ar y wal ochr draw. Neidiodd arno gan weiddi 'Ffyc, ffyc, ffyc!'

Gwelodd fod y gitarydd wedi dihuno a'i fod yn syllu arno'n wyllt. Eisteddai yn ei wely yn ymgnawd-oliad o syndod.

—Digon o sŵn ichi? gofynnodd Iolo. Ond cyn iddo gael cyfle i ateb saethodd Iolo'r offerynnwr yn ei frest bantiog, wen, noeth.

Aeth Iolo yn ôl i'w stafell i weithio ar ei draethawd am dipyn.

—Mae gen i'r allwedd i destunau Arise Evans, meddyliodd. Roedd hwnnw'n gallu gweld y dyfodol. Rydw i'n gallu profi sut y mae ei ysgrifeniadau wedi darogan pethau mawr hanes *cyn* iddyn nhw ddigwydd. Ac erys darnau o'i lyfrau heb eu dehongli gan neb eto—ond y fi. Ond mae gen i'r allwedd iddyn nhw, dw i'n credu. Dw i'n hyderus iawn.

Edrychodd Iolo o gwmpas ei stafell gan ystyried pethau. Meddyliodd am sŵn y gitarydd cythreulig drws nesaf; am y cathod drewllyd, rhechllyd, cennog; am y lleithder, roedd ei lyfrau i gyd yn troi'n wyrdd ac yn ddu, a'i ddillad a dillad ei wely yn wlyb bob amser. Câi grepach rhew ar ei fysedd wrth fynd o'i stafell i'r gegin ac roedd y stafell ymolchi yn arctigaidd. Roedd y pry cop yn gorfod gwisgo sgidiau-eira, mor oer oedd hi yno.

—Ga i ofyn a yw'r lle'n gynnes a thawel? gofynnodd Iolo pan aethai i edrych ar y lle.

—O, mae'n lle cynnes, dywedasai'r landledi, Mrs Emma Ann Holrigg, 'ych chi'n gallu sychu'ch dillad yn y stafell 'ma.

—Ydy'r lle'n dawel?

—Tawel? Mae fel y bedd 'ma. Buon ni'n byw 'ma ein hunain tan yn ddiweddar iawn ac roedd hi mor dawel o'n i'n dechrau gofidio bod rhywbeth wedi digwydd i'n tenantiaid i gyd 'ma, eu bod nhw i gyd yn gorwedd yn farw yn eu gwlâu, chwarddodd Mrs Holrigg.

Tawel yn wir! A'r gitarydd yna'n chwarae drwy'r prynhawn tan oriau mân y bore fel bod y llygod, hyd yn oed, yn gorfod gwthio wadin i'w clustiau i gael tipyn o gwsg. Cynnes a sych wir! Sych os oeddech chi'n digwydd bod yn forlo.

Celwyddau i gyd. Aeth yr hen ast yn gacwn gwyllt pan soniodd Iolo wrthi am y problemau hyn ac awgrymu'i fod yn chwilio am le arall i fyw.

—Rych chi wedi achosi lot o drafferth a gofid imi, meddai, mae 'ngŵr i'n dost, yn marw o gancr ac ryn ni wedi gweithio'n galed ar hyd ein hoes, erioed

112

wedi godro'r wladwriaeth les. Wel, os 'ych chi'n mynd i symud allan nawr, a finnau wedi mynd i gymaint o drafferth i gael y stafell 'ma'n barod i chi, dw i'n mynd i gadw'ch blaendal.

Chwarae teg iddi, ni fuasai John Paul Getty wedi cwyno am y rhent. Ac fel y digwyddai, roedd hi i fod i gasglu siec yr wythnos y bore hwnnw. Arhosodd Iolo yn ei stafell nes iddo glywed ei chnoc. Agorodd iddi a dyna lle y safai. Chwe throedfedd ac un fod-fedd o berocsaid, persawr a phaent coch a chot ffwr rhyw anifeiliaid druan, neu sgalpiau ei chyn-denantiaid a flingwyd ganddi, wedi'u pwytho wrth ei gilydd, a sbectols ar lun cynffon paun ar ei thrwyn smwt.

—Wel, Mr Jones, eich rhent plîs, meddai â'i lled-neisrwydd arferol.

Edrychodd Iolo arni am eiliad cyn iddo dynnu'r dryll o'i boced.

—Dyma rywbeth i'ch llyfr rhent! meddai Iolo wrth ei saethu heb ragymadroddi rhagor. Roedd hi'n hen fitsh, beth bynnag, doedd hi ddim yn haeddu rhagymadrodd.

Cwympodd ei chorff dros drothwy'r drws, i mewn i'w stafell. Roedd hi'n drwm ond llwyddodd Iolo i'w chicio nôl, allan i'r fynedfa lle y gadawodd hi i orwedd fel rỳg croen arth.

Buasai Iolo yn byw yng nghwmni Arise Evans am wyth mlynedd. Doedd neb yn gwybod mwy amdano na Iolo. Efe oedd arbenigwr mwyaf y byd arno.

Gofynnodd rhywun iddo yn y llyfrgell yr wythnos ddiwethaf ar beth yr oedd yn gwneud ei waith ymchwil. Cododd hyn ei galon. Roedd e'n barod i ateb unrhyw gwestiwn astrus yn ymwneud ag Arise Evans. 'Arise Evans,' meddai. Cododd y dyn ar ei draed; mae'n debyg mai Evans oedd ei enw yntau, fel mae'n digwydd. 'Nace,' meddai Iolo, 'Arise Evans' yw enw'r dyn dw i'n astudio'i waith e.' 'Pwy?' meddai'r holwr. 'Pwy?' diddeall, unsill fel'na. Neb yn gwybod a neb eisiau gwybod am Arise Evans a'i broffwydoliaethau a'i neges ar gyfer y byd a'r dyfodol.

Ac wrth iddo droi'r meddyliau hyn yn ei ben aeth at ei hen gar bach, ei hen *Fiesta*, agor y drws, eistedd, ymwregysu a chychwyn. Gyrrodd i'r siop bapurau ar y gornel.

Roedd y fenyw a gadwai'r sefydliad hwnnw'n ei atgoffa o swyddogesau'r SS wynebsyth, sych a diserch. Miss Megan Hil oedd ei henw ond meddyliai Iolo amdani fel *Comrade* Megan Hiliol. Er ei fod wedi mynychu'r siop dros gyfnod o bum mlynedd, o leiaf, gan brynu'i bapurau a'i gylchgronau yno'n ffyddlon, prin y cawsai'r un wên gan y fenyw, heb sôn am glywed y gair 'diolch' ar ei gwefusau tenau, unionsyth. Yn aml iawn llwyddai'r hen wrach i roi'i bapurau iddo, cymryd ei arian oddi wrtho a rhoi'r newid iddo heb yngan gair, heb gydnabod ei fodolaeth, hyd yn oed.

Iolo oedd y cyntaf i gyrraedd y siop y bore hwnnw. Roedd y lle'n dawel, dim cwsmeriaid eraill. Dros y blynyddoedd bu *Comrade* Megan yn gwneud ei gorau glas i gael gwared ar ei chwsmeriaid i gyd, gan eu bod yn gymaint o boendod iddi. Dim ond y rhai dycnaf oedd ar ôl bellach.

Syllodd ar y sgeran; corneli'i cheg yn hongian yn llipa, dim cyfarchiad, dim cydnabyddiaeth, hyd yn oed.

Edrychodd Iolo ar y cylchgronau a dewis dau a mynd â nhw at y cownter i'w rhoi i'r hen sguthan. Dim gair o'i phen. Rhoes Iolo yr arian iddi. Dim sill. Rhoes yr hen wraig y cylchgronau mewn bag papur llwyd iddo gan ochneidio. Cymerodd yr arian a rhoi'r newid iddo. Yna dywedodd Iolo:

—Fe gymera i far o siocled hefyd.

Edrychodd y greadures arno'n flin.

—Be sy'n bod? meddai Iolo. Gormod o drafferth ichi?

Edrychodd y wreigan arno'n syn. Rhoes Iolo ragor o arian iddi am y siocled.

—Mae'n ddrwg gen i, meddai, nes i mo'ch dal chi.

—Dw i ddim yn eich deall chi.

—Un gair bach deusill.

—Beth?

—Na, nid 'beth'. 'Diolch'. Di-olch. Dw i am eich clywed chi'n dweud diolch.

—Diolch? Am beth?

—Diolch am fod yn gwsmer da, diolch am ddefnydd-io'ch siop, diolch am wario'r holl arian dw i wedi'u gwario 'ma, diolch am eich cefnogi chi, diolch o ran cwrteisi, a jyst diolch gan ein bod ni'n dau'n gorfod rhannu'r un blaned.

—Ydych chi'n teimlo'n iawn, gwedwch?

—O? Gofyn gormod ydw i? Rhaid imi fod yn wallgof i ddisgwyl tipyn o gwrteisi?

—Am beth 'ych chi'n mwydro, ddyn?

—Dwedwch 'diolch', 'na gyd dw i eisiau.

—Dych chi wedi colli'ch pwyll. Cerwch o 'ma cyn imi ffônio'r heddlu!

Ar hynny tynnodd Iolo'r dryll o'i boced gan anelu at stumog Megan Hil.

—Dwedwch 'diolch' nawr!

—Be sy'n bod arnoch chi? Plîs, plîs, peidiwch â gwneud rhywbeth ffôl.

—Dwedwch 'diolch' 'te.

—Ond . . . plîs, peidiwch â'm brifo i . . .

Ond yn sydyn cododd Iolo'r dryll a'i rhoi yng ngheg y fenyw.

—Dw i wedi rhoi digon o gyfle i chi. Mae'n amlwg ei bod yn anodd iawn i chi fod yn gwrtais wrth bobl, wrth eich cwsmeriaid. Wel, mae'ch cyfle wedi dod i ben. Dyma rywbeth i roi gwên ar eich wyneb.

Ac ar y gair taniodd Iolo'r dryll gan saethu Megan Hil yn farw yn y fan a'r lle. A cherdded allan o'r siop, fel pe na bai dim wedi digwydd.

Wrth iddo yrru o'r siop, ei draethawd ar y sêt wrth ei ochr, teimlai Iolo ryw fodlonrwydd a sioncrwydd yn lledaenu drwy'i gorff ac yn ei feddiannu. Dyna'r ffordd i drafod pobl annymunol ac amharchus, meddyliodd.

Y nesaf ar ei restr oedd ceidwad y dafarn ar y gornel arall sef y Carpenter's Arms neu yr Armpits ar lafar gwlad. Enw'r tafarnwr oedd Eli M. Hagn, fel y dywedid uwchben y fynedfa. Hen ddyn cecrus a smygai getyn bob amser; roedd ei ben yn foel ar wahân i ychydig o wallt gwyn uwch ei glustiau. Roedd ei goesau a'i freichiau'n denau er bod ganddo fol chwyddedig, balwnaidd, enfawr. Roedd ei alcoholiaeth yn ddiarhebol, yn ymylu ar fod yn chwedlonol. Clywsai Iolo fod Eli yn gorfod cael potel gyfan o chwisgi yn y bore, bob bore, cyn y gallai godi o'i wely ac wedyn fe yfai drwy'r dydd.

Roedd Eli yn ddyn hynod o boblogaidd. Meddylid amdano fel tipyn o 'gymeriad'. Camgymerid y cetyn rhwng ei wefusau'n barhaus a bloesgni meddw ei leferydd am sirioldeb hynaws. Y gwir amdani oedd nad oedd neb yn deall mwy nag un gair mewn pump o'r hyn a ddywedai.

Ond un noson ceisiasai Iolo dynnu sgwrs â'r hen Eli, dim ond iddo gael ei anwybyddu. Ceisiodd Iolo fod yn gyfeillgar ag ef dro arall ond dangosodd Eli iddo, heb ddweud cymaint â hynny, nad oedd yn ei licio. A gwyddai Iolo yn iawn pam y cymerasai'r tafarnwr yn ei erbyn fel'na. Mympwy rhagfarn.

Mynychai Iolo'r dafarn serch hynny oherwydd dyna lle'r oedd ei ffrindiau'n arfer cyfarfod. Ond roedd yn gas ganddo roi arian yn nwylo crafanglyd yr hen Eli piwis.

Aeth Iolo i sefyll yn y stryd y tu cefn i'r dafarn lle gallai weld yr iard agored. Gwyddai Iolo fod Eli yn arfer dod allan i'r iard tua'r amser hwn bob dydd—ymddangosiad cyntaf y diwrnod.

Arhosodd Iolo am ryw bum munud a dyma'r hen Eli yn ei lusgo'i hunan drwy ddrws cefn y dafarn. Edrychai'n sâl, yn welw ac yn ansicr ar ei draed, yn gryndod i gyd, a'i lygaid yn goch.

Saethodd Iolo yr hen ddyn mewn gwaed oer, alcoholaidd. Ni welai unrhyw ddiben ceisio dal pen rheswm â rhywun fel Eli. Ni ddeallai Eli beth bynnag. Saethodd Iolo ef yn ei fol dair gwaith gan weiddi 'Dyma rywbeth i'w roi yn eich chwisgi!'

Ar ei ffordd yn ôl i'w gar pwy a welodd yn cerdded

tuag ato ond y bardd tawel mewnblyg, moel cyn-ei-amser, Glen Haim. Meddyliai Iolo amdano fel snob mwyaf y ganrif. Sawl gwaith y ceisiasai fod yn gyfeillgar, dim ond iddo gael ei waradwyddo fel petai'n faw isa'r domen?

Yn cerdded wrth ochr Glen Haim roedd Siân Reaves, y nofelydd; menyw fawr gnawdol a thoreth o wallt brith o gwmpas ei hysgwyddau a'i phen. Enillasai wobr yn yr Eisteddfod am ei nofelig wydd-onias *Chwilen Ddu ar Fwrdd Du* a oedd yn llawn o enwau fel Picsi Porffor, Tisial Sibrwd, But-zenscheiben ac a adroddai stori niwlog iawn am wledydd yn dwyn enwau llawn dychymyg megis Y Wlad Acwdraw a'r Wlad Rhywlearall, yn llawn gwdis a badis—Y Rhai Sydd yn yr Awyr oedd y badis. Rhaid bod yr awdures ddawnus hon wedi treulio munudau'n meddwl am yr enwau hyn i gyd, meddyliodd Iolo. Ac roedd y cyfan mewn iaith debyg i Fanaweg Canol.

Yn lle trafferthu i gyfarch y prydydd ffroenuchel y bore hwnnw saethodd Iolo ef yn ei gefn ddwywaith wrth iddo gerdded heibio, ei drwyn yn yr awyr, fel arfer. Edrychodd Iolo arno'n disgyn i'r llawr ac yn troi ei gorff wrth gwympo i weld pwy oedd yn saethu arno. Pan welodd Iolo'r olwg hurt a di-ddeall, ymofyngar ar ei wyneb, dechreuodd deimlo'n ddigon bodlon.

Yna, gollyngodd Siân Reaves sgrech, ond cyn iddi ddechrau rhedeg i ffwrdd gwaeddodd Iolo:

—Dyma rywbeth am ysgrifennu nofel mor ddi-sylwedd, a'i saethu hithau'n farw.

—Dyna ddau arall wedi dysgu gwers, meddyliodd Iolo.

Ond ar ôl iddo gyrraedd ei gar cymerodd Iolo drueni ar Glen a Siân a phenderfynodd eu dad-saethu. Gwyddai Iolo, yn nirgel ddyn ei galon ei fod yn Philistiad yn y bôn. Roedd yn gyrru heibio i'w cyrff pan gododd y ddau o'r llawr a cherdded i ffwrdd yn holliach eto.

Yna aeth Iolo yn ei gar a gyrru i'r wlad i dŷ mawr henffasiwn a gardd anferth o'i gwmpas lle roedd un o'i elynion pennaf yn byw, sef awdures storïau byrion i blant o'r enw Morag Helga Minn. Daethai hon i un o'i ddosbarthiadau allanol ar ysgrifennu creadigol un tymor a bu'n boen yn y pen-ôl trwy gydol y cwrs. Byth a hefyd gofynnai gwestiynau piwis. Ar ôl iddo osod testun traethawd iddi un tro gofynasai iddo ei gyfieithu i'r Saesneg oherwydd meddai, 'Mae'n bwysig inni gael pethau'n glir'. Dro arall dywedasai nad oedd hi'n fodlon defnyddio dyfyniadau Saesneg heb eu cyfieithu i'r Gymraeg. 'Wedi'r cyfan,' meddai, 'mae'n anodd i mi ddeall Saesneg.' Serch hynny, roedd hi'n briod â Sais rhonc, Micky Minn, ac amser coffi yn ystod y dos-barthiadau, hoffai ddyfynnu sylwadau a doethineb-au hwnnw ar bob pwnc dan haul—a'i ddyfynnu yn Saesneg, heb gyfieithu, dim trafferth, wrth gwrs.

Hen fenyw chwit-chwat oedd hi, yn meddwl ei hun. Ond y peth mwya yn ei herbyn oedd y tro hwnnw yr aethai at yr Athro i gwyno bod Iolo wedi meiddio anghytuno â'i farn ef ynglŷn â Saunders Lewis, a dweud hynny yn y dosbarth. Daethai memorandwm oddi wrth yr Athro yn erchi Iolo i fynd i'w weld. Ond ar ôl i Iolo esbonio sut un niw-rotig oedd Morag Helga Minn, roedd yr Athro yn deall yn iawn. Un hynaws a ffraeth oedd yr Athro. Ond rhoes Morag fraw i Iolo y tro hwnnw.

Pan gyrhaeddodd Iolo ei thŷ roedd Morag yn sefyll yn yr ardd (yn ddigon cyfleus) yn edmygu ei lawntydd a'i pherthi sgwâr.

Heb fynd allan o'r car agorodd Iolo'r ffenestr a chan weiddi, 'Dyma rywbeth i'ch chwyn a'ch cwyno!' saethodd Morag yn farw cyn gyrru i ffwrdd.

—Dyna un daclus, meddyliodd.

Y cam nesaf oedd mynd i dŷ'r efengýl barfog, sych, Dr Alan Hergg-Nimmo.

Ar ei ffordd, meddyliodd Iolo am y traethawd yn ei ymyl. Bu'n ceisio rhoi trefn ar rai o'r penodau, cywiro pethau bach, newid ambell frawddeg neu baragraff, symud ambell gollnod, amgylchynu geiriau â chromfachau a bachau petryal, ychwanegu'r acen grom lle'r oedd eisiau. Ond doedd y traethawd ddim yn tyfu. Roedd Iolo'n flinedig a digychwyn o ganlyniad i ddiffyg cwsg. Ysgrifennodd baragraff yr wythnos ddiwethaf. Paragraff i'w ddangos am wythnos o waith. Paragraff i'w ychwanegu at wyth mlynedd o lafur a oedd yn ysu am gael ei orffen ond a ddaliai i fod ar ei hanner ac a oedd mewn perygl o aros felly.

Cyrhaeddodd Iolo'r tŷ mawr crand a'r *Jaguar* newydd sbon yn sgleinio yn y dreif. Dr Alan Hergg-Nimmo oedd y dyn a honnai fod Cristnogion yn llawn o gariad a llawenydd duwiol. Serch hynny ni wyddai sut i wenu ac ef oedd yn gyfrifol am ysgymuno Iolo o'r eglwys oherwydd ei 'dueddiadau' chwedl Hergg-Nimmo. Ar ôl hynny cofiodd

Iolo nad oedd erioed wedi clywed am aelod o'r eglwys yn cael ei ysgymuno am ymfalchïo yn ei gar newydd, neu'i chot ffwr; chlywodd e erioed am rywun a ysgymunwyd am ei lythineb—er bod yna ddigon o aelodau tew yn perthyn i'r eglwys; ni chafodd neb ei ddiarddel am fod yn ariangar, er bod arwyddion ariangarwch ym mhobman yn yr eglwys; pwy erioed a gafodd ei ddiarddel oherwydd cenfigen, ac roedd cenfigen yn rhemp ymhlith y gynulleidfa; a beth am yr holl bobl ddiog, faint o'r rheina a ddisgyblwyd er sefydlu'r eglwys? A phryd ddiwethaf y diarddelwyd rhywun am fynegi dicter? Cofiodd Iolo am yr holl ddicter a fynegwyd adeg ei ddiarddel ef. Godineb yn ystyr ehangaf y gair oedd yr unig beth a ddeuai o dan y lach o dro i dro.

Canodd Iolo'r gloch a daeth Dr Hergg-Nimmo i'r drws; ei farf frith fel perth o gwmpas ei geg sur.

—Wel, wel, Iolo! 'Na hyfryd dy weld ti, dere mewn, dere mewn.

Gwyddai Iolo fod yr hen chwilen yn smalio ac yn edrych ymlaen at y cyfle i gael 'maddau' i Iolo—a oedd yn siŵr o fod wedi dod ato yn unswydd i gyff-esu ac i edifarhau.

—Na. Wna i ddim dod mewn, meddai Iolo gan dyn-nu'r dryll o'i boced.

—Dyma rywbeth i'ch casgliad, meddai gan danio.

Syrthiodd Dr Hergg-Nimmo yn ôl, ar wastad ei gefn.

Gyrrodd Iolo yn ôl i'r dref er mwyn ymweld â Ffani Ciwcýmber. Aelod arall o'i ddosbarth ysgrifennu creadigol. Bu Ffani yn dân ar ei groen. Roedd hi'n ffyrnig o filwriaethus, yn ddyngasreg ronc, yn anarchydd digyfaddawd ac ar ben hynny i gyd roedd ganddi natur ymfflamychol. Doedd dim modd dal pen rheswm â hi am nad oedd neb yn ddigon cywir ei safbwyntiau gwleidyddol—ac roedd pob dyn yn ddiegwyddor am ei fod yn ddyn. Gwisgai fathodyn a'r arwyddair 'Moch yw Dynion i Gyd' arno.

Canodd Iolo'r gloch i'w fflat ac ymddangosodd Ffani a'i gwallt byr fel hoelion ar ei phen. Gwgai o dan ei haeliau sarrug, ei chroen fel hen siaced ledr, sigarét rowlio-dy-hunan yn ei bysedd.

—Beth chi eiso? gofynnodd a golwg Rottweiler arni.

—Ga i air 'da chi ynglŷn â'r tymor nesaf?

—Tyrd i fewn.

Dilynodd Iolo'r fenyw i fyny'r grisiau cul tywyll i'r nenlofft aflêr.

—Nid wyf fi'n cysyltiedig efo'r grŵp rŵan. Dw i wedi rhoi'r gorau iddi. Does dim digon o fenywod yn dŵad. A does neb yn cysyltu efo fi. Dw i dan gormes yn y dref fach hwn. Ti eiso paned o goffi?

—Diolch, os gwelwch yn dda.

—Paid â galw 'chi' arnaf fi. Mae 'chi' yn arwydd o hierarchiaeth, batriarchaidd, heterorywiol, gormesol.

—Mae'n flin gen i, meddai Iolo.

—Sigarét?

—Dim diolch.

—Ond paid â galw 'ti' arnaf fi chwaith. Mae 'ti' yn golygu dy fod ti'n fy iselhau am fy mod i'n dynes a dy fod ti'n meddwl dy fod ti'n uwchraddioledig am dy fod ti'n dyn gwyn, gwrywaidd, dosbarth canol.

—Mae'n ddrwg gen i, Ffani.

—Paid â galw fi'n Ffani o gwbl chwaith. Nes i ddim rhoi caniatâd iti ddefnyddio fy enw cyntaf i. Ond rwyt ti'n meddwl fod gennych chi hawl i wneud oherwydd eich bod chi'n wryw ac yn awyddus i'm treisio i fel pob dyn.

—Dim peryg.

—Paid â thorri ar fy nhraws. Rydych chi mor ymosodol. Yn union fel yn y grŵp, yn ceisio fy rhwystro rhag siarad ac yna'n gwneud Buwch Dihangol ohonof. Mae'ch holl iaith yn ffalogo-ganolog. Mae pob dyn eisio treisio pob merch. Dw i'n credu mewn sbaddu dynion i gyd. Dw i'n mynd i sgwennu llythyr at y papurau . . .

Cyn iddi gael gorffen ei thruth, a ymddangosai fel un diddiwedd, taniodd Iolo'r dryll a'i lladd.

—Dyna fe, meddyliodd Iolo, wrth iddo yrru yn ei hen *Fiesta* yn ôl i'w fflat, dw i wedi cael gwared ar bawb yn y dre a fu'n gas wrtho i. Maen nhw i gyd yn farw gelain, ar wahân i Glen Haim a Siân Reaves, ond dw i ddim yn mynd i ddadsaethu neb arall.

—Af i daflu'r traethawd i'r môr nawr. Pwy yw Arise Evans wedi'r cyfan, a phwy ydw i? Dw i'n teimlo fel ysgrifen ar bapur sydd wedi disgyn o dan bapurau eraill. Y gwir amdani yw nad y mwstwr lan llofft oedd yn mynd ar fy nerfau, nid cael llythyron Saesneg oddi wrth y banc yn cyfeirio ataf fel Mr 1% Jones, nid yr holl bobl gas amharchus 'ma sy'n mynd ar fy nerfau, nid y ffaith fod fy nhraethawd yn mynd i ddod i ben cyn ei amser mewn modd disymwth—er bod y pethau hyn i gyd yn fy ngwylltio—ond y ffaith fod bywyd bob amser yn mynd yn ei flaen mewn stafell arall. Dyna hanes fy mywyd i. Fues i erioed yn yr un stafell â bywyd.

Cyn ei daflu i'r môr arhosodd Iolo i ailddarllen y frawddeg olaf a ysgrifenasai o'r traethawd:

Arise (Rice) Ifans; symbol echreiddig, Gwiddonydd ymylol, metaffuglen-rethreg ystyrlon, anghyfieithiadwy—bydd ei rethreg yn syfrdanu trwy weddnewidiad y truth huawdl.

Wedyn roedd arno angen ysgrifennu stori hir, hyblyg, gynhwysfawr a amgylchynai bob chwedl ac a fyddai ar lun y Mil ac Un Noson, yr Epigau Groeg, Sagâu Llychlyn, storïau Iwerddon, y Popol Vuh a'r Mabinogi. Hyn i gyd mewn un chwedl neu, yn hytrach, mewn cadwyn o chwedlau yn ailadrodd y dechrau yn y diwedd fel bod rhaid mynd yn ôl i'r dechrau o hyd a dros y chwedlau gan ychwanegu rhagor o chwedlau newydd bob tro mewn rhyw fath o *da capo* di-ben-draw.

Pan luchiodd y traethawd i'r môr dadsaethwyd pawb.

Hefyd gan Mihangel Morgan

Nofel ddirgel newydd – dilyniant i'r glasur *Dirgel Ddyn*
086243 575 7
£5.95

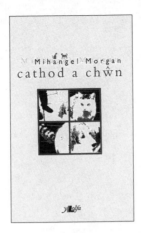

Casgliad o storïau doniol, dychanol,
abswrd, ffantasïol – a dwys!
0 86243 529 3
£6.95

Nofel ddirgelwch â sylwebaeth graff ar y
gymdeithas gyfoes Gymreig.
0 86243 494 7
£7.95

Am restr gyflawn o lyfrau'r wasg,
mynnwch gopi o'n catalog newydd, rhad,
neu hwyliwch i mewn i **www.ylolfa.com**
ar y we fyd-eang!

TALYBONT CEREDIGION CYMRU SY24 5AP
e-bost ylolfa@ylolfa.com
y we www.ylolfa.com
ffôn (01970) 832 304
ffacs 832 782
isdn 832 813